LA
SYNASTRIE

Couverture
- Conception graphique
  GAÉTAN FORCILLO

Maquette intérieure
- Conception graphique
  JEAN-GUY FOURNIER

Équipe de révision
  Daniel Ariey-Jouglard, Jean Bernier, Michelle Corbeil, René Dionne,
  Louis Forest, Monique Herbeuval, Hervé Juste, Jean-Pierre Leroux,
  Odette Lord, Linda Nantel, Paule Noyart, Normand Paiement,
  Jacqueline Vandycke

DISTRIBUTEURS EXCLUSIFS:

- Pour le Canada:
  AGENCE DE DISTRIBUTION POPULAIRE INC.*
  955, rue Amherst, Montréal H2L 3K4 (tél.: 514-523-1182)
  *Filiale de Sogides Ltée

- Pour la France et l'Afrique:
  INTER-FORUM
  13, rue de la Glacière, 75013 Paris (tél.: 570-1180)

- Pour la Belgique et autres pays:
  S. A. VANDER
  Avenue des Volontaires, 321, 1150 Bruxelles (tél.: (32-2) 762.98.04)

Penny Thornton

LA SYNASTRIE

Les astres et le destin amoureux

**Traduit de l'américain
par
Jean-Pierre Day**

 le jour,
éditeur

Données de catalogage avant publication (Canada)

Thornton, Penny

    La synastrie : les astres et le destin amoureux

    Traduction de : Synastry

2-89044-174-1

    1. Astrologie et sexualité. I. Titre.

BF1729.L6T513 1985   133.5'81553   C85-094059-1

(Édition originale: *Synastry*
The Aquarian Press
ISBN: 0-85030-276-5)

Bibliothèque nationale du Québec
Dépôt légal — 2e trimestre 1985

ISBN 2-89044-174-1

À mes parents,
pour leur amour et leurs encouragements

Remerciements

Écrire demande un travail solitaire, il est vrai, mais un livre est toujours le fruit d'une collaboration étroite, patiente et efficace entre plusieurs personnes. Aussi aimerais-je exprimer ma reconnaissance à Marjorie Horsfield, qui a dactylographié mon manuscrit, à Chester Kemp pour ses critiques constructives, ainsi qu'à mon éditeur anglais. Mais je voudrais par-dessus tout remercier mon époux Simon, qui a accompli un véritable travail d'amour en corrigeant mon manuscrit.

Introduction

La plupart des gens qui se mettent à étudier l'astrologie le font pour une foule de raisons, mais, en général, ce qui les fascine, c'est le mystère et la recherche d'un savoir caché. Du moment que l'étincelle initiale a été déclenchée et la recherche amorcée, s'ouvre toute grande la boîte de Pandore. Combien de fois, cependant, l'enthousiasme des premiers moments ne s'estompe-t-il pas au moment où se présentent les aspects plus angoissants de l'interprétation et du calcul astrologique. Mais pour le véritable passionné d'astrologie, aucun obstacle n'est insurmontable: la quête de la connaissance, de la vérité et du sens caché des choses l'amène toujours plus loin, lui ouvrant de vastes perspectives et révélant un merveilleux langage intérieur de plus en plus délicat et subtil.

Tous les astrologues se laissent prendre à un moment ou à un autre par des généralités sur le signe solaire; de fait, certaines sections de ce livre traitent de vastes catégories zodiacales et des relations qu'elles entretiennent les unes par rapport aux autres. Cependant, on ne saurait trop appuyer sur le fait que le Soleil ne représente virtuellement qu'un dixième du domaine astrologique et que la véritable connaissance de l'astrologie débute avec celle de la structure complexe des planètes, des signes et des Maisons. La science met souvent en doute l'astrologie qui se fonde uniquement sur l'observation du signe solaire. Cependant, il n'est besoin que de comprendre certains aspects fondamentaux de l'astrologie pour en apprécier toute la beauté en tant que système.

L'astrologie existe bien sûr depuis longtemps, bien que ses origines se perdent dans les méandres des anciens mystères (1). On peut supposer par contre que l'étude des astres a commencé dès que l'homme a pu établir des corrélations entre les saisons et la présence de constellations précises et observer les aspects changeants de la lune.

Au cours des deux derniers millénaires, l'astrologie a été acceptée à certaines époques par les astronomes, les philosophes et les scientifiques mais, à l'issue du Siècle des lumières, son déclin était amorcé. Ce n'est qu'au tournant du siècle actuel que l'astrologie est revenue à la mode, avec la parution d'ouvrages d'astrologues comme Alan Leo et Charles Carter et les doctrines ésotériques de Alice Bailey et de Madame Blavatsky. Dès les années 60, l'astrologie redevenait populaire et, en un sens, c'est du germe du mouvement "Peace and Love" (Paix et Amour) de cette décennie que s'est développée l'astrologie contemporaine. D'abord porté sur la prévision, l'accent a ensuite été mis sur l'orientation et le développement de l'intuition et de la connaissance de soi, ce qui a fait de l'astrologie un utile outil psychologique. De fait, le terme même *psychologie* procède de deux mots grecs, *psukhê* (âme) et *logos* (sagesse) et, en ce sens, la recherche de l'âme a toujours été du domaine de l'astrologie.

Il ne faudrait pas oublier cependant que les astrologues contemporains doivent beaucoup à leurs anciens maîtres qui, grâce à leur intuition, pouvaient pronostiquer avec une justesse consi-

---

1. Des cartes du ciel de l'Égypte ancienne datant d'environ 4200 av. J.-C. sont parvenues jusqu'à nous; on considère cependant que les Chaldéens sont les premiers à avoir utilisé l'horoscope tel qu'on le connaît aujourd'hui.

dérable les événements à venir et comprendre avec perspicacité l'esprit humain. En vérité, l'effort de compréhension et l'intérêt actuel de l'homme occidental pour la science et la technologie portaient jadis sur l'ésotérisme et les domaines de l'intuition.

L'astrologie est à la fois une science et un art, et même si ses adeptes adoptent une tendance ou une autre, chacune des deux complète l'autre. Sans cette propension à la remise en question, l'astrologie ne serait que spéculations vagues et mystiques et n'aurait jamais été au-delà de l'amusement et des généralités des colonnes de journaux. Cependant, pour bien interpréter les symboles et les faire comprendre à autrui, il faut posséder une âme d'artiste.

Ce serait peut-être une bonne occasion, à cette étape-ci, de faire comprendre la discipline astrologique mais, hélas, c'est impossible. Il semble que, jusqu'à maintenant, nous ayons tenté d'expliquer l'inexplicable et de mesurer ce qui ne peut être mesuré; c'est pourquoi, jusqu'à ce que nous puissions expliquer l'astrologie en des termes essentiellement scientifiques, nous devrons nous contenter d'affirmer qu'elle est en grande partie un système de croyances (2). Ainsi, lorsque nous commencerons à mieux comprendre notre mode de perception de la réalité, saisirons-nous la nature de l'interaction complexe existant entre l'homme et le cosmos. D'ici là, nous devons prendre pour base de notre conviction l'adage suivant: "En bas comme en haut." En astrologie, la position des planètes à la naissance reflète la psyché de l'individu et, plus tard, le mouvement des planètes reflète son développement.

Si on adopte un point de vue plus spirituel, on pourrait dire que l'âme incarnée choisit sa carte du ciel de façon à bénéficier d'expériences terrestres précises; en astrologie, le concept de karma (la loi spirituelle de la cause et de l'effet) est donc implicite.

---

2. La recherche astrologique actuelle, utilisant l'analyse statistique et les données informatisées, donne un fondement plus empirique à cette discipline. (Voir l'excellent ouvrage de Michel Gauquelin traitant de la prééminence de certaines planètes dans le cycle diurne (quotidien). Cependant, comme l'affirme Ralph Metzner dans son livre *Maps of Consciousness*: "...les données doivent être intégrées en quelque sorte à la structure du questionnement scientifique actuel..."

Les astrologues se réfèrent fréquemment à l'horoscope comme à une carte géographique, ce qui est une bonne façon de permettre à l'individu de percevoir son existence comme une sorte de voyage. La route est symbolisée par les planètes, les signes et les Maisons, mais le voyage lui-même est unique. Plus l'individu devient conscient de lui-même, plus son expérience s'en trouve enrichie.

> *L'expérience n'est pas tellement ce qui vous est arrivé, mais ce que vous avez fait de ce qui vous est arrivé.*
>
> Voltaire

Considérant l'astrologie du point de vue de l'évolution et de la connaissance, Alice Bailey, dans son livre *Esoteric Astrology*, discerne deux types spécifiques d'astrologie: celle de "l'Homme prisonnier de la roue" et celle de "l'Homme sur la voie". "L'Homme prisonnier de la roue", qui n'est pas dans une recherche consciente du sens, se trouve totalement à la merci des planètes, mais du moment qu'il devient conscient de son âme "et qu'il se décide à prendre en main son propre destin, l'influence des planètes s'estompe définitivement".

Cette façon de percevoir l'astrologie laisse à l'individu le choix de son destin, encore que ce soit par la reconnaissance de son propre potentiel interne (ou peut-être du sens profond de son âme); ceci souligne la différence philosophique fondamentale entre les astrologues occidentaux et orientaux. L'idée de la toute-puissance du destin est inhérente à l'astrologie hindoue. Cette idée est conforme aux grandes inégalités sociales présentes en Inde, où l'acceptation des circonstances de la vie demeure la seule attitude possible face à une situation qui ne semble pas pouvoir être modifiée. En Occident, par contre, l'individu tend à s'améliorer, considérant qu'il peut modifier les circonstances de sa vie.

Cependant, bien qu'il soit aisé en Occident de défendre la thèse du libre arbitre, une pratique de quelques années de l'astrologie démontre à quel point la destinée semble jouer un rôle dans la vie; il n'est aucun domaine astrologique qui ne soit aussi influencé par la "destinée" que celui qui traite des relations humaines.

Nos rapports avec autrui s'amorcent dès la naissance, d'abord avec nos parents et nos proches, ensuite avec les amis et les connaissances; mais les relations qui nous apportent le plus de bonheur et de peine sont celles qui nous forcent à réagir le plus fortement du point de vue émotionnel et sexuel, c'est-à-dire, en général, celles que nous rencontrons dans le mariage. C'est pourquoi je m'appliquerai ici à faire ressortir ces divers types de rapports amoureux.

"Nul homme n'est isolé." Voilà un cliché qui, comme tous les clichés, contient une part de vérité; quel que soit le degré d'indépendance d'un individu, il doit entretenir des rapports quelconques avec le monde extérieur même si, en dernière instance, il s'en retire en faveur de la vie monastique; même alors, il doit entretenir des relations avec ses pairs. La seule façon de se connaître soi-même est à travers la réaction des autres, et même si les parents peuvent ne pas voir les erreurs de leurs enfants, compagnons, collègues et pairs ne ménagent habituellement pas les critiques. Le jeu des relations humaines constitue le facteur le plus important d'élévation du niveau de conscience individuelle et, comme partout ailleurs dans la vie, les expériences les plus difficiles et les plus éprouvantes nous induisent à un plus grand discernement et nous affranchissent donc davantage.

En somme, l'art d'entretenir d'heureuses relations humaines semble aboutir à une situation impossible. Il faut entretenir des relations humaines afin de se connaître soi-même mais, jusqu'au moment où l'on se connaît pleinement soi-même, les relations risquent, en général, d'être tout à fait insatisfaisantes. Nous entretenons certes les rapports humains que nous méritons, que nous les considérions sous l'angle de l'attirance des semblables ou sous celui de la notion hindoue des rencontres et des rapports inscrits dans la destinée. Quoi qu'il en soit, l'analyse astrologique détaillée constitue souvent le facteur le plus révélateur du type de relations humaines devant s'établir et du fonctionnement de ces relations elles-mêmes. Un individu dont l'horoscope recèle le thème natal du rejet et du désappointement sera naturellement rejeté et désappointé et, jusqu'à ce qu'il y ait un changement d'attitude et de perception de sa part, la situation risque de ne pas évoluer.

C'est souvent au moment où l'individu tente de solutionner un dilemme relié aux rapports humains qu'il s'en remettra à l'astrologie, car aucune discipline ne semble pouvoir offrir une perspective aussi pénétrante d'une situation donnée. L'horoscope ne constitue pas seulement une excellente carte psychospirituelle, un guide des pulsions internes, mais offre la dimension supplémentaire d'une carte du temps précise. Avec la venue de la psychanalyse, des groupes de rencontre et de toutes sortes de programmes de conscientisation, l'astrologie adopte de plus en plus un rôle consultatif. Ce ne sont bien sûr pas tous les astrologues qui agissent en tant que conseillers mais, inévitablement, des conseils surgissent à travers les complexités de l'horoscope du sujet venu en consultation, particulièrement en ce qui concerne les grands tournants de sa vie qui, neuf fois sur dix, concernent des relations humaines. C'est ainsi que la connaissance des rapports humains par l'astrologie ou la synastrie (d'après le préfixe grec *sun* [avec, ensemble], et *astron* [étoile]) constitue un des aspects les plus importants et les plus spécialisés de l'astrologie considérée dans son ensemble.

Au cours de mon travail d'astrologue consultante, je m'enquiers des détails relatifs à la naissance non seulement des sujets eux-mêmes, mais également des partenaires et des familles (si, bien sûr, on m'en accorde la permission). Ceci m'a permis de constituer non seulement un grand nombre de cartes du ciel mais aussi d'accumuler une grande quantité de renseignements concernant la synastrie. On abordera dans les chapitres suivants les méthodes classiques de comparaison de thèmes, de même que des méthodes plus nouvelles; mais, comme pour toutes les techniques, il s'agit d'un simple échafaudage qui requiert l'expérience du praticien.

De nombreux pièges guettent évidemment l'astrologue qui veut évaluer la compatibilité entre deux êtres. Même si la communication telle que perçue à travers l'interaction des aspects peut paraître difficile par moments, on ne peut nullement présumer pour cela de son issue malheureuse. Si deux personnes s'aiment suffisamment et veulent *vraiment* avoir des rapports harmonieux, ceux-ci résisteront à toutes les embûches. Si chacun des partenaires est conscient de ses forces et de ses faiblesses psychologiques, alors les "énergies" difficiles à contrôler seront reconnues et contrôlées. Parfois, plutôt que de constituer d'importants blocages psychiques qui pourraient à la longue miner la relation, les aspects maléfiques se présentent sous la forme de circonstances extérieures qui posent un défi à l'unité du couple. En un sens, les difficultés deviennent un moyen d'atteindre à une plus grande compréhension. Cependant, une quantité d'aspects maléfiques et d'"énergies" astrales divergentes souligneront une difficulté dans les relations humaines.

D'après ma propre expérience, les couples à la veille de se marier consultent habituellement l'astrologue dans l'espoir de renforcer leurs idées et leurs sentiments du moment; mais si on leur souligne l'existence de problèmes, ils vont passer outre, en dépit des mises en garde. Heureusement, on peut utiliser la synastrie à n'importe quel stade d'une relation afin d'éclairer une situation, et non seulement au début de la relation. L'astrologue ne peut que conseiller, et non changer le destin ou l'esprit des individus. C'est peut-être la raison pour laquelle l'ancienne coutume indienne des mariages conclus à partir d'affinités astrologiques nous paraît en quelque sorte erronée, tant du point de vue spirituel que moral. Idéalement, l'astrologie devrait servir de guide, tout en laissant aux individus leur liberté de choix. Peut-être, à l'avenir, les futurs mariés auront-ils deux rencontres importantes avant le mariage: une avec le ministre du culte et une avec l'astrologue.

En dépit de l'importante hausse du taux de divorces et l'accroissement du concubinage, le mariage n'a apparemment jamais été aussi populaire. Mais pourquoi, avec tous les avantages offerts par une société tellement sophistiquée et englobante, le bonheur et l'harmonie sont-ils des qualités si évasives? La réponse pourrait être que l'homme, de par sa nature, a besoin d'une certaine dose d'adversité pour survivre — il suffit, pour s'en convaincre, d'observer ce qui se passe entre les peuples aussi bien qu'entre les individus. Cependant, la spiritualité nous indique que l'homme tend vers un monde plus évolué et que, pour ce faire, il doit d'abord harmoniser son monde intérieur.

J'ai tenté jusqu'à maintenant d'expliquer l'astrologie aussi clairement que possible, sans aborder ses aspects plus spirituels. Cependant, plus on pratique l'astrologie, plus on s'aperçoit que derrière de nombreuses expériences se cache une dimension spirituelle. Depuis les deux ou trois dernières années, j'ai décelé un accroissement du nombre de couples qui pensent que leur attirance n'est pas due au seul hasard, et dont l'harmonie est à un niveau très élevé. Parfois, cette harmonie a été acquise au prix de profonds bouleversements et traumatismes: divorce, abandon de famille, abandon d'emploi, exil, etc. Il est intéressant de noter que cela se produit à tous les âges, qu'il s'agisse du jeune homme de vingt ans à l'expérience limitée ou du vieillard qui a été marié plus de quarante ans. Ce peut être pure coïncidence, mais en comparant mon point de vue à celui de mes collègues astrologues, de conseillers et de guides spirituels, je me suis aperçue que mes sentiments sont partagés. D'après certains enseignements spirituels et ésotériques, nous approchons d'une période de grands bouleversements (3), et, sur le plan spirituel, émerge un ordre nouveau. Dans l'attente de ces transformations, les âmes sœurs se rencontrent. Peut-être, aux yeux de certains, ceci n'est-il rien de plus que du romantisme, mais aux yeux des couples qui ont un sens aigu du destin, cette opinion recèle une profonde vérité.

L'amour a été une source d'inspiration durant des milliers d'années — elle a suscité des guerres, inspiré l'édification de villes et de monuments, la rédaction de poèmes épiques et de récits. On dit que l'expérience amoureuse constitue un aspect du divin s'incarnant dans l'homme. Le but de ce livre n'est toutefois pas la recherche de l'aspect divin des relations humaines, mais de délimiter les façons dont l'astrologie transcrit le dialogue humain. Ce livre ne se borne, et ceci marque en fait la limite de tout enseignement visant à l'interprétation astrologique, qu'à décrire l'élément essentiel (l'intuition) qu'il est nécessaire de développer afin de déceler l'essence intime qui lie entre eux les partenaires.

Le symbolisme astrologique ne dévoile pas l'essence divine ou, à ce compte, le processus lui-même, mais seulement le dialogue. Cependant, connaître la nature du dialogue nous permet de mieux comprendre pourquoi certaines relations sont difficiles et d'autres faciles. En prenant conscience des différences individuelles et en en tenant compte, on devient non seulement plus tolérant mais plus averti, ce qui n'est pas sans aider à susciter l'harmonie à l'intérieur et autour de soi.

3. Diverses cultures et religions expriment l'idée de grands cycles temporels (les âges du monde) et, à ce compte, notre ère tirerait à sa fin. En termes astrologiques, nous passerions de l'ère des Poissons à l'ère du Verseau.

Chapitre premier

Les éléments et les qualités

*La joie de la terre est dans les règles et dans
l'obstacle;
La joie de l'eau est douceur et repos;
Le plaisir ardent est désir et amour;
Délices éthérés sont la liberté et le mou-
vement.*

Gaston Bachelard

Il m'est apparu évident que l'étudiant qui passe au travers des complications du calcul astrologique et de la signification des planètes et des signes éprouve de plus en plus de difficultés à mesure que lui est enseignée la matière concernant les Maisons et les aspects. De façon à mettre de l'ordre dans cette matière et afin de permettre à l'étudiant de s'y retrouver, il fallait mettre l'accent sur un centre d'intérêt connu. La particularité la plus évidente du thème de naissance, hormis l'ascension des planètes, est l'attention particulière portée aux éléments et les signes du zodiaque (voir la figure 2). Par exemple, un sujet né avec quatre planètes dans le Cancer, deux dans les Poissons, deux dans la Vierge, une dans les Gémeaux et une dans le Taureau a une dominante eau; il est donc à la base un individu instinctif, sensible, facile à émouvoir et dont le bien-être émotif est de première importance dans sa vie. Ces attributs peuvent être établis avant même l'analyse en profondeur de la carte du ciel.

Les quatre éléments: feu, terre, air et eau, sont au coeur de l'étude astrologique. De fait, la plupart des systèmes métaphysiques et psychologiques recèlent quatre parties distinctes. Au Moyen Âge, on distinguait quatre tempéraments: colérique (feu), mélancolique (terre), sanguin (air), et flegmatique (eau). Ces quatre divisions étaient associées au comportement, à la maladie et à de nombreux autres facteurs humains. En physique contemporaine, on distingue quatre états de la matière: solide (terre), liquide (eau), gazeux (air) et plasmique [ou énergie de rayonnement ionisée] (feu). En fait, les qualificatifs eux-mêmes: ardent, aqueux, terrestre et éthéré sont des lieux communs de notre vocabulaire, et possèdent toujours leur signification originelle.

L'astrologie a établi un lien des plus importants avec la psychologie en associant les quatre éléments avec les quatre types psy-

21

*Figure 1: Les éléments
(Les triplicités).*

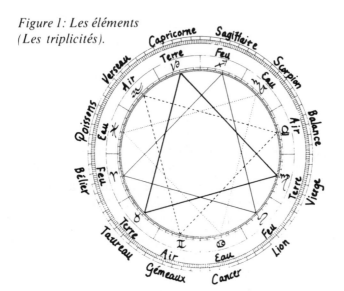

chologiques de Jung: intuitif (feu), réflexif (air), sensitif (terre) et émotif (eau) (1). Dans *Astrology, Psychology and the Four Element*, Stephen Arroyo parle des éléments comme de formes d'énergie et en souligne l'importance en astrologie: "L'interprétation des cartes astrologiques acquiert un sens nouveau et plus profond quand on insiste sur les éléments, car on traite ainsi de forces vitales précises et agissantes..."

Si nous nous référons à l'individu ayant quatre planètes dans le Cancer et deux dans les Poissons, non seulement y a-t-il une dominante eau, mais une absence totale de planètes dans l'élément feu. Quand un tel déséquilibre se produit, à moins que le sujet soit astrologue ou subisse une psychanalyse, il peut ne pas être conscient de la fonction manquante, en l'occurrence, celle qui est associée au feu; mais quand il tente d'exprimer l'exubérance ou l'initiative associée à cet élément, il trouve cela très difficile. En conséquence, le sujet gravitera autour de personnes qui "dégagent" cet élément ou qui semblent en posséder les attributs essentiels. Une des facettes les plus remarquables de la synastrie consiste à cons-

---

1. Pour comprendre véritablement cette notion, on peut se référer au livre de Liz Greene, *Relating*.

Figure 2:

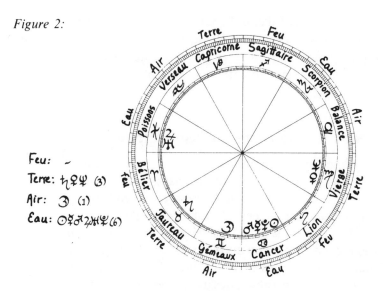

Feu: –
Terre: ♄♀♆ (3)
Air: ☽ (1)
Eau: ☉☿♂♃♅♇ (6)

tater que les gens sont attirés par les personnes qui exemplifient ce qu'eux-mêmes ne possèdent pas en propre. Cependant, parce que ce mouvement est pour une grande part inconscient et étranger à son propre comportement, le sujet rejettera ce qui l'avait d'abord attiré.

Pour expliquer davantage: Si le type à dominante eau est en relation avec un sujet à dominante feu, il sera d'abord attiré par la quantité inépuisable d'énergie et le charisme du feu, de même que par sa nature extrovertie et spontanée; mais après un temps, le sujet eau sentira qu'il n'est jamais vraiment à l'aise en présence du feu, qu'il est continuellement incompris et écrasé par l'autre. Par contre, le sujet feu, d'abord attiré par le mystère, la sensibilité et la gentillesse de l'eau, sera irrité par l'inconstance et les besoins émotifs du sujet chez qui prédomine cet élément.

Il est particulièrement fascinant, en synastrie, de considérer les éléments comme des forces vitales en action, car l'interaction des champs d'énergie individuels est un mécanisme qui se comprend et s'illustre très bien par le biais du couple attraction-répulsion des rapports humains. Les descriptions qui suivent, bien qu'étant des généralisations, donnent un aperçu des caractéristiques des signes de feu, de terre, d'air et d'eau. La compréhension des différences de tempérament associées à ces éléments, ainsi que des échanges énergétiques qui surviennent entre les êtres, constitue une des caractéristiques les plus fondamentales et les plus instructives de la synastrie.

L'élément FEU (le Bélier, le Sagittaire et le Lion)

Les alchimistes disaient du feu qu'il est "un élément qui agit au centre des choses"; une double caractéristique du signe feu est son désir de se trouver au centre de l'action et sa tendance au narcissisme. Penser au feu, c'est évoquer la couleur, la chaleur et l'énergie. De fait, c'est le Soleil qui détermine en propre un signe de feu (le Lion) et en domine un autre (le Bélier). Le Sagittaire, le Lion et le Bélier partagent tous trois une vitalité et un enthousiasme qui en font d'éternels optimistes et des aventuriers du zodiaque. Dans la mythologie, on croyait que, pour les dieux, le feu était sacré car il représentait la connaissance spirituelle; il est toutefois difficile d'associer des qualités spirituelles aux signes de feu car ils foncent dans la vie sans s'occuper apparemment des besoins et des sentiments d'autrui. Cependant, le profond idéalisme du feu s'adapte bien à l'idée d'une quête ou d'une aventure spirituelle; le courage, de même que la loyauté envers une personne (particulièrement le laissé-pour-compte) ou une cause, constituent des traits caractéristiques des signes où prédomine cet élément.

Les signes de feu sont d'une honnêteté naïve et sans détour et, tout comme les enfants, ils accordent peu d'intérêt à la réalité et au sens pratique. La responsabilité n'est pas leur fort mais, si on les motive à l'action (par exemple, en leur lançant un défi), ils accompliront davantage en une journée que tous les autres éléments mis ensemble. Rien n'est impossible à l'individu chez qui prédomine l'élément feu: confiant et enthousiaste, il surmontera toutes les embûches pour atteindre son objectif. S'il éprouve des difficultés, il fera simplement éclater le problème qui l'empêche de poursuivre sa route. Un inconvénient du feu, cependant, est sa tendance à dominer, à manquer de sensibilité et, l'attrait de la nouveauté disparu, à laisser le travail en plan.

Le feu symbolise la créativité qui transforme les idées en actes et encourage les autres à faire de même. Celui qui manque de cet élément doit ronger son frein et se contenter d'admirer ou de maudire les capacités d'autrui dont il rêve. Les sujets à forte prédominance feu (particulièrement ceux dont les planètes sont des signes de feu) prennent l'initiative non seulement d'atteindre leur but mais aussi de se créer des relations en leur imprimant une direction précise. Leurs besoins et leurs désirs sont tout à fait évidents. Le feu est chaud, affectueux et il a besoin d'une réponse sincère pour continuer à brûler.

L'élément TERRE
(le Taureau, la Vierge et le Capricorne)

La gravité fait retomber tous les objets sur terre où, en général, le sol est solide, fixe et sans danger. La terre symbolise le matériel, le tangible; le Capricorne, le Taureau et la Vierge sont des signes reliés aux sens physiques et auxquels se réfèrent des données pratiques. Par opposition au feu, qui agit par impulsion et intuition, les signes de terre sont réfléchis, prudents, et leur foi s'appuie sur ce qui est visible, fiable et, en dernier ressort, utile.

Comme l'élément terre tombe dans la catégorie des signes "négatifs (2)" ou introvertis, le Capricorne, la Vierge et le Taureau sont réticents à se mettre en vedette; ils le font toutefois avec grâce s'ils y sont invités. Les signes de terre ont de bonnes capacités d'organisation et ils agencent les situations de façon à ce qu'elles leur procurent sécurité et permanence. Contrairement au signe de feu, le signe de terre arrive mieux à consolider ce qui a déjà été réalisé et préfère les récompenses plus tangibles à la seule exaltation du défi. Autant le signe de feu commence-t-il en lion et abandonne-t-il dès que s'estompe l'enthousiasme initial, autant le signe de terre persiste dans son labeur et réussit souvent à surmonter les difficultés. Quand il est accusé d'avoir un comportement étroit ou d'agir de façon pessimiste, le signe de terre rétorque souvent qu'il n'est que réaliste.

---

2. "Négatif", dans le contexte, s'applique aux signes pairs du zodiaque; il ne suit donc pas la définition du dictionnaire.

Ses pieds fermement ancrés dans l'univers physique et matériel, on n'arrive que très difficilement à lui faire prendre conscience de la valeur de l'éphémère et de l'intangible. Toutefois, sous des dehors pratiques et conservateurs, se cache chez lui un besoin de transcendance. Les signes de terre axent leur vie sur l'aspect physique, ce qui leur fait entretenir des relations non seulement difficiles mais qui ne leur procurent aucune satisfaction affective. Au besoin de transcendance se joint alors un désir ardent de se consumer dans une grande passion.

Dans l'horoscope, la terre symbolise le structurel et le tangible. Elle offre des possibilités d'actualisation et implique l'idée que les projets seront menés à bon terme. Les gens à prédominance terre dans leur carte du ciel peuvent être travailleurs et fiables et ont tendance à prendre la vie au sérieux. Si une carte du ciel démontre un manque de l'élément terre, il se pourrait que le sujet manque de sens pratique. Ceci l'amène à mépriser et à haïr ceux chez qui s'incarne cette idée d'ordre et de fiabilité.

L'élément AIR
(les Gémeaux, la Balance et le Verseau)

L'élément air symbolise le champ des idées et de l'intelligence, qui sont des fonctions essentiellement humaines. De fait, la plupart des signes du zodiaque sont associés à un symbole animal, exception faite des signes d'air, dont deux sont symbolisés par des formes humaines (3). Tout comme l'élément feu, l'élément air tombe dans la catégorie des signes "positifs" ou extrovertis; par conséquent, les signes placés sous ces deux éléments sont très compatibles. Ils sont ouverts et des esprits forts par nature; on peut dire que le feu réchauffe l'air en étant une source d'inspiration et d'exaltation tandis que l'air attise la flamme, créant plus d'action et de désir.

Les natifs des Gémeaux, de la Balance et du Verseau sont sociables et portés à fraterniser; leur conversation sérieuse et leur

---

3. La Vierge est représentée par un symbole humain (la Femme); il est intéressant de noter combien ce signe de terre se caractérise par les capacités intellectuelles et la concentration mentale.

approche amicale les rendent populaires. Logiques, rationnels et objectifs, ils préfèrent conceptualiser plutôt que de se lancer tête baissée dans l'action (tel le feu) ou tomber dans la routine et l'opinion précautionneuse (comme l'eau).

Si les signes d'air éprouvent une difficulté, celle-ci réside dans la recherche de leurs sentiments et dans l'établissement de rapports sur le plan émotionnel. Les signes d'air, et particulièrement les Gémeaux, sont mieux placés que les autres pour mettre par écrit leurs sentiments et les analyser. Bien qu'étant un signe symbolisant les rapports humains, la Balance s'applique principalement à assurer un équilibre intellectuel dans les relations de même qu'une action honnête et juste de la part de ceux qui oeuvrent ensemble. Le Verseau incarne la fraternité et l'humanité en général mais, sur le plan affectif, il éprouve plus de difficulté à établir une relation d'égal à égal que les natifs des Gémeaux et de la Balance.

Leur facilité à débattre d'une question, à appliquer une objectivité limpide aux situations qui se présentent, constituent une particularité des signes d'air. Sans la vision intellectuelle et l'impartialité de l'air, l'action violente du feu et la quête matérielle de la terre manqueraient de perspective.

L'air dans la carte du ciel symbolise la capacité de conceptualisation, de communication et d'appréciation des valeurs culturelles. Un sujet qui a une prédominance planétaire dans l'élément air peut être un exemple de civilité mais risque de manquer de sensibilité envers les autres. S'il y a un manque de l'élément air, l'individu peut se trouver dans l'incapacité de rationaliser ses actions et celles d'autrui ou d'absorber des idées et de communiquer les siennes à autrui. Il peut donc surestimer les intellectuels ou critiquer leur manque de sentiment.

L'élément EAU
(Le Cancer, le Scorpion et les Poissons)

L'eau peut être considérée comme l'élément indispensable à la vie; elle circule à travers toute la nature sous forme de pluie, de sève, de lait et de sang et, en Inde, on la considère comme l'élément vital même. De fait, les signes d'eau (le Cancer, le Scorpion et les Poissons) incarnent une très grande fertilité. Tout comme pour la terre, c'est dans les signes négatifs, introvertis, que l'on trouve l'eau; ces deux éléments exercent une attirance l'un envers l'autre. Si le feu est associé à l'action et à l'énergie, la terre à la stabilité et à la structure, l'air aux idées et à la communication, l'eau, elle, est synonyme de sentiment et de subtilité. Le Cancer, le Scorpion et les Poissons sont des signes "féminins (4)" déterminés respectivement par la Lune, Pluton et Neptune, et ces signes recèlent la sensibilité mentale, la compassion et la compréhension. L'aptitude de l'eau à remplir tout contenant, à emprunter fissures et rigoles, de même que ses sombres profondeurs et son comportement imprévisible, rappellent sa nature particulière. Les types d'eau sont attirés par le subliminal et l'inconscient, réagissant à l'impact émotionnel d'une situation et aux obscurs courants de l'existence.

On considère parfois les signes d'eau comme étant les rustres et les lourdauds du zodiaque (particulièrement pour ce qui est des Poissons); cependant, ces signes recèlent d'énormes ressources de sagesse et de compréhension. Il leur manque toutefois l'aplomb du feu et la souplesse rationnelle de l'air pour imposer ou exposer leurs idées. Artistes et mystiques possèdent fréquemment dans leurs cartes du ciel des signes où prédomine l'élément eau, signes qui appellent la transcendance au sein de l'expérience humaine.

Comme l'élément eau apparaît au terme de chaque série quaternaire (Bélier/eau; Taureau/terre; Gémeaux/air; Cancer/eau, etc.), on peut considérer qu'il marque l'accomplissement d'un cycle et l'amorce d'un autre cycle. C'est comme si l'eau conjuguait toutes les dimensions de l'expérience afin d'amorcer une nouvelle croissance.

L'eau peut être l'élément le plus obscur et le plus secret du zodiaque. Le Cancer, le Scorpion et les Poissons peuvent empêcher de toutes sortes de façons les gens de déceler leur vulnérabilité; ils sont cependant ceux que l'on blesse et que l'on manipule le plus aisément.

---

4. "Féminins" se rapporte en l'occurrence aux signes du Taureau, du Cancer, de la Vierge, du Scorpion, du Capricorne et des Poissons. Tout comme pour le terme "négatif", son sens s'écarte de celui du dictionnaire.

L'eau représente la profondeur émotionnelle et la compréhension instinctive. Cependant, un sujet ayant trop de l'élément eau peut céder à la subjectivité et être trop absorbé par ses sentiments pour saisir une situation, alors qu'un sujet qui en manque peut être incapable de sympathiser ou d'éprouver de la compassion pour autrui et ressentir de la difficulté à exprimer ses propres sentiments. Ainsi, il peut admirer ou mépriser ceux chez qui émane de la sensibilité et qui considèrent que le matériel vient après les valeurs intérieures.

Les signes du groupement ternaire: signes cardinaux, fixes et mutables ou cadents constituent, après celui des éléments de l'horoscope, un autre indicateur fiable du tempérament de base et des inclinations du sujet. Dans sa triplicité, chaque élément est représenté par une qualité différente; les attributs (ou qualités), s'associant à des signes distants l'un de l'autre de 90° ou 180° (en carré ou en opposition l'un avec l'autre), forment entre eux les quadratures astrologiques.

Les signes CARDINAUX
(le Bélier, le Cancer, la Balance et le Capricorne)

Cardinal est synonyme d'action et, en ce sens, le Capricorne, le Cancer et la Balance partagent un désir d'accomplissement et une faculté de susciter l'action à leur propre avantage. Bien que le désir d'action et d'accomplissement puisse différer, le thème sous-jacent demeure constant: le besoin de succès, de reconnaissance et celui de relever les défis.

L'idée de défi peut ne pas paraître s'appliquer au Cancer; nombreux sont donc les adeptes de l'astrologie qui, parce que le Cancer est un signe d'eau, pensent qu'il est passif et ne porte pas à l'accomplissement. C'est alors que la notion de "cardinal" devient complexe: l'action du signe cardinal de même que ses mots clefs initiatiques doivent filtrer à travers un sujet eau sensible et porté au sentiment. Le Cancer peut ne pas rechercher activement le défi mais, s'il aperçoit l'objet de son désir, il s'en rapprochera avec persistance et dépensera de grandes quantités d'énergie émotive pour contourner les obstacles et parer aux embûches.

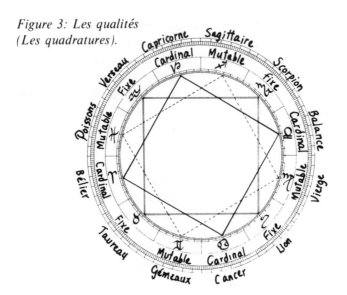

Figure 3: Les qualités (Les quadratures).

La notion de cardinal s'applique particulièrement à l'élément feu, de sorte que le Bélier, en tant que seul signe cardinal de feu, est d'une pureté sans égal. Le Bélier, qui est un pionnier, est le premier à se lancer par impulsion dans une expérience, particulièrement si cela sert ses propres ambitions. Le Bélier croit que personne ne peut accomplir quelque chose aussi bien ni aussi vite que lui-même. À cause de sa forte volonté, le Bélier s'aliène souvent les gens et on l'étiquette donc (à tort) comme un solitaire. Par contre, son signe opposé dans le zodiaque, la Balance, recherche l'harmonie, la perfection des relations humaines et la poursuite de buts communs. La Balance est un signe cardinal et un signe d'air, de sorte que, même si l'action et l'ambition des tenants de ce signe ne sont pas perçues en termes aussi actifs physiquement que chez le Bélier, il offre néanmoins le défi du débat et de la discussion. La Balance excelle à établir des rapports sociaux, ce qui peut apparaître comme de l'opportunisme social aux yeux des gens. La poursuite effrénée du but constitue l'action cardinale du Capricorne, comme elle la constitue pour le Cancer. L'effet de l'aspect cardinal dans un élément terre évoque l'image d'une grosse roche déboulant une pente de plus en plus inclinée, acquérant de la vitesse au terme de sa chute et arrivant avec une grande force au bout de la pente. Plus que les autres signes cardinaux, le Capricorne adore se trouver au sommet.

Une personne chez qui prédomine un signe cardinal est entreprenante, motivée et ambitieuse, et ceux qui manquent de cette qualité peuvent rater des occasions et ne pas désirer ou ne pas avoir la capacité d'imposer leurs idées.

Les signes FIXES
(le Lion, le Taureau, le Scorpion et le Verseau)

L'usage habituel de *fixe* rend compte de cette qualité astrologique. Le Taureau, le Lion, le Scorpion et le Verseau recherchent l'inaltérable et l'immobile. Ces signes abhorrent tous le changement, préférant la rigidité. Leur réserve naturelle les empêche de se précipiter dans l'action et ils paraissent souvent empêcher l'action d'autrui.

Bien que ces attributs soient aisément observables chez le Taureau, le Scorpion et le Lion, le Verseau, parce qu'il est un signe d'air, semble ne pas en jouir. Le Verseau, rationnel et apparemment ouvert aux possibilités d'action, restera cependant obstinément attaché à sa propre opinion et, avec d'éloquents arguments pleins de bon sens, convaincra ses adversaires d'absurdités évidentes. Le Verseau possède en outre un comportement qui est constamment imprévisible.

Le Taureau symbolise au plus haut point la fixité. Comme la terre immobile, le Taureau demeure ancré aux sens physiques et recherche la sécurité financière et matérielle. Bien qu'essentiellement un signe passif, la crainte de perdre ses possessions ou de devoir accepter le changement peut l'amener à poser des actes relativement agressifs. Son signe opposé, le Scorpion, représente l'eau immobile et, comme l'eau est l'élément du sentiment, ce signe recherche la stabilité et la permanence des rapports humains de même que la sécurité affective. Le peu de disposition du Scorpion pour le relâchement émotif et sa propension à la paranoïa le mènent trop souvent au traumatisme et à la crise émotionnels. Le Lion, en tant que feu immobile, est au mieux extrêmement puissant et expressif et, au pire, emphatique et égocentrique. Ce signe adore le pouvoir, le luxe et la richesse et gravite autour des positions d'autorité.

Un individu jouissant d'une prépondérance de planètes dans des signes fixes tend à persister dans ses entreprises et à agir de façon réfléchie, cependant qu'il résistera au changement, sera plus ou moins opiniâtre et fanatique. Un sujet qui manque de signes fixes dans son horoscope peut par contre être instable et irréfléchi.

Les signes MUTABLES
(les Gémeaux, la Vierge, le Sagittaire et les Poissons)

Les signes mutables sont dits adaptables et dispersifs. En d'autres mots, les Gémeaux, la Vierge, le Sagittaire et les Poissons tendent à disperser leurs intérêts plutôt que d'exprimer le dynamisme des signes cardinaux ou la fermeté d'intention des signes fixes. Les signes cherchent en outre à acquérir et à disséminer la connaissance. La Vierge ne semble guère à sa place dans cet ensemble quaternaire où règne la dispersion des intérêts, elle qui a un penchant pour le détail ou l'effort soutenu. En dépit de cela, la Vierge est un signe qui possède de multiples attributs et son sens inné de l'entraide lui permet d'entrer en contact avec une variété d'individus et d'acquérir une vaste expérience.

L'air s'identifie le mieux à la mutation dans sa mentalité et sa flexibilité. Les Gémeaux, en tant que signe d'air mutable, sont très flexibles mentalement et physiquement, mais leur nature inquiète et curieuse et leur personnalité aux nombreuses facettes peuvent cacher un manque de profondeur et de persévérance dans l'effort. Le Sagittaire est un signe mutable de feu; l'esprit d'aventure qui caractérise ce signe est symbolisé par son goût des horizons lointains et de la quête philosophique. Le Sagittaire est souvent accusé d'avoir la tête dans les nuages, préférant les activités intellectuelles aux mondanités. Les Poissons, en tant que signe mutable d'eau, est probablement le signe qui, dans sa catégorie, est le plus difficile à saisir. Ici, les frontières de l'expérience tant intérieure qu'extérieure sont floues, ce qui fait du signe des Poissons une véritable marionnette de l'inconscient et un être qui dépend de ses propres sentiments changeants et de ceux des autres.

Un individu ayant une prépondérance de planètes dans les signes variables, hormis qu'il s'adapte bien aux gens et aux situations, peut manquer d'orientation et du sentiment de l'accomplissement. Un manque de qualités variables peut indiquer une inaptitude à jouer un rôle de support ou à synthétiser l'expérience.

On ne peut toujours catégoriser les gens selon la prédominance d'un élément ou d'une qualité. Parfois les planètes sont associées également à deux ou trois éléments ou encore deux qualités peuvent avoir une égale importance. Idéalement, cette situation devrait décrire un individu équilibré mais, jusqu'à ce que l'influence relative des planètes ait été établie, on ne peut rien affirmer avec certitude.

Jusqu'à un certain point, la position des planètes dans les Maisons (5) peut compenser l'absence d'un élément ou d'une qualité, de sorte qu'une personne dont les Maisons de l'horoscope sont occupées fermement par l'élément air (Maisons trois, sept et onze) peut ne pas souffrir d'une absence de planètes dans les signes d'air. Mais, en synastrie, on doit accorder plus d'importance aux éléments et aux qualités tels que désignés par les signes plutôt que par les Maisons. La combinaison d'éléments et de qualités en opposition apparaît clairement dans le cours d'une relation. Plutôt qu'à une combinaison idéale du feu et de l'air, on assiste à un rapprochement d'éléments et de qualités qui devraient normalement se repousser.

Feu et feu

En principe, les couples dont les conjoints possèdent chacun une grande quantité d'un même élément devraient bénéficier d'une relation parfaite; mais, dans les rapports humains, on obtient un meilleur équilibre en combinant différents éléments. Cependant, deux personnes considérant le monde d'un point de vue unique peuvent diverger considérablement d'opinion. Les relations feu/feu, particulièrement celles qui s'établissent entre sujets du même signe, peuvent s'avérer merveilleuses au début, alors que chacun se trouve reflété à la perfection par son (ou sa) partenaire; mais, à

---

5. Voir l'appendice.

longue échéance, l'existence du couple au tempérament ardent peut s'avérer difficile. Il est peu probable que l'ennui se manifeste dans ce couple, comme a tendance à le craindre le sujet feu.

Le Bélier, le Sagittaire et le Lion ont plutôt tendance à tomber facilement et souvent amoureux. En fait, une vie dépourvue de romantisme n'aurait aucun intérêt pour les natifs du feu. Le Bélier et le Sagittaire ont besoin, davantage que le Lion qui est un signe fixe et est donc plus constant et permanent dans ses relations, de la passion et de l'ivresse de nouvelles conquêtes. La combinaison feu/feu peut en outre être sexuellement passionnante, les partenaires étant susceptibles de partager une approche sexuelle pleine de sensualité et d'invention. Cependant, le danger de céder à des attractions soudaines, ajouté à la jalousie et aux suspicions qui en résulteraient, pourraient en fin de compte briser la relation du couple.

La combinaison des deux éléments feu peut susciter fortement la création et la productivité mais, sans la prudence et le sens pratique de l'élément terre, ces deux types ardents peuvent, par exemple, se retrouver en sérieuse difficulté financière. Les signes de feu sont notoirement extravagants et vivent en fonction du moment présent; ils détestent en outre qu'on leur rappelle leurs responsabilités mondaines et leurs obligations. En conséquence, ils considèrent trop souvent après coup les bénéfices qu'ils auraient pu retirer de polices d'assurance et de plans de pension auxquels leur vue à court terme les a empêchés d'adhérer ou qu'ils n'ont pas cru bon contracter. Cette combinaison peut réussir lorsque les partenaires sont jeunes, alors qu'un gérant de banque et une famille compréhensifs peuvent sortir le couple de ses embarras momentanés. Mais, à moins que les conjoints acquièrent de la maturité et apprennent à contrôler leurs folles extravagances, chacun, lorsque les problèmes s'accumuleront et que personne ne viendra à leur secours, en rejettera le blâme sur l'autre.

Un autre inconvénient des relations feu/feu est que les deux partenaires préfèrent dominer, de sorte que le partenaire le moins dominant est forcé d'adopter le rôle de subordonné, ce qui le frustre continuellement. Éventuellement, celui-ci trouvera un autre partenaire et quittera son conjoint, habituellement à la suite d'une scène de ménage. Le feu a besoin de soins attentifs car, s'il manque de combustible, il s'éteindra, mais, si on lui en fournit trop, on en perdra le contrôle et il sèmera la dévastation.

Feu et terre

Le feu et la terre sont certes des éléments conflictuels, à la fois physiquement et symboliquement. Trop de terre étouffera le feu et trop de feu desséchera la terre. En dépit de cela, si on y pense bien, la combinaison feu et terre n'est pas si dénuée de sens. Bien que les valeurs et le comportement de ces éléments soient diamétralement opposés, ils bénéficient grandement de leurs capacités réciproques. En ce qui concerne les inconvénients se rattachant à la combinaison feu/terre, la préférence du feu pour l'instant présent et son indifférence à l'endroit de toute retenue seront rapidement contrées par l'adhésion quasi religieuse de la terre aux réalités pratiques. C'est ainsi que le Bélier est attiré par le Capricorne, le Lion par le Taureau et le Sagittaire par la Vierge, car des qualités similaires, bien qu'associées à des éléments antagonistes, agissent comme un aimant.

Dans son livre: *Finding the Person in the Horoscope* (Découvrir le partenaire grâce à l'horoscope), Zip Dobyns fait allusion à la combinaison de l'énergie irrésistible et de l'optimisme du type feu et de la ténacité, du sens de la stratégie et du réalisme du type terre formant une paire excessivement productive et puissante. Aux premières étapes de la relation de ces deux éléments, le feu sera attiré par la force, la réserve et la logique de la terre, tandis que la terre sera attirée par les attributs de joie, de confiance en soi et de charisme du feu. Par ailleurs, au début, le feu exercera une retenue sur son extravagance et, grâce à son amour, extirpera la terre de ses états dépressifs; de la même façon, la terre se lancera dans les amusements nocturnes et tolérera les coups de tête enfantins et les erreurs du feu. Mais viendra un temps où le feu sera exaspéré de ce régime de vie et de ce pénible cheminement et où la terre ne pourra plus supporter l'irresponsabilité et la nature impulsive du feu.

Il peut arriver en outre que la relation sexuelle du feu et de la terre soit une source de problèmes. Abstraction faite de l'attraction initiale, qui peut à tout le moins constituer un facteur de dynamisme, la terre pourrait trouver le feu un peu agressif et son approche peu orthodoxe tandis que le feu, pour sa part, pourrait trouver la terre quelque peu ennuyeuse et penser qu'elle manque d'intérêt pour l'érotisme et la fantaisie (6).

Inévitablement, arrive le moment critique où les nombreuses différences entre les deux signes du couple doivent être affrontées, mais le résultat dépend de l'action qui sera entreprise alors. Le feu doit reconnaître l'importance de la réalité et de l'anticipation des événements, cesser de croire que la terre s'occupera de tous les aspects pratiques de l'existence et commencer à mettre la main à la pâte. La terre doit retrouver sa perception intérieure et sa bonne volonté fondamentale et, plutôt que de rester dans un cercle vicieux de routine et de sécurité, agir spontanément et prendre un risque occasionnel. Si les deux partenaires demeurent convaincus que leur approche est la seule acceptable et qu'ils sont incapables de modifier leurs comportements réciproques, ils s'écarteront de plus en plus l'un de l'autre, le type feu se refroidissant de plus en plus et le type terre devenant de plus en plus maussade. Si les partenaires décident d'emprunter la "voie supérieure", par contre, la combinaison terre/feu est susceptible d'amener un plus grand degré de support et d'accomplissement mutuels. Mais cela exige des efforts considérables, une grande ouverture d'esprit et un sens du compromis peu commun.

Feu et air

Le feu et l'air se combinent avec bonheur. Ces deux éléments détestent le pessimisme et la pensée tatillonne; ils préfèrent les relations sociales, les réceptions et les idées nouvelles. L'air peut déceler l'issue prévisible de l'action du feu sans écraser son enthousiasme; mais comme l'air frôle les choses tandis que le feu agit dans le sens contraire, l'air peut s'échapper doucement quand des difficultés se présentent (soutenant comme à son habitude qu'il est impartial), laissant le feu répondre des conséquences. Le feu stimule l'air et lui permet de mettre ses idées en pratique alors que parfois l'air hésite entre deux ou trois possibilités et a un besoin impératif du feu pour prendre une décision.

6. Des contacts bien établis entre la Lune, Vénus, Mars, Uranus et Neptune neutraliseront cette tendance dans un horoscope où prédomine l'élément terre.

Avec la combinaison feu/air, l'opposition (aspect de 180°) est mise en relief à travers les éléments quaternaires, donnant lieu à d'intéressantes "étincelles". Les polarités sont toujours présentes en astrologie et recèlent un principe défini par Jung, à savoir que chaque idée contient le germe de son contraire. Ainsi, derrière tout natif du Bélier se cache une Balance à l'esprit diplomatique; dans chaque Lion orgueilleux se cache un Verseau humanitaire; et il est un Gémeau logique dans tout généreux Sagittaire.

Bien que la rationalité et l'intuition semblent s'associer de façon parfaitement harmonieuse, ces deux éléments manquent parfois de substance et, à longue échéance, chacun des partenaires peut croire qu'il n'a jamais pu saisir l'autre. Le feu sera d'abord attiré par la souplesse d'esprit de l'air et par ses reparties pleines d'intelligence tandis que l'air le sera par la chaleur et le comportement sans détour du feu. Ces deux éléments continueront à se supporter mutuellement tout au long de leur relation et, parce qu'aucun des partenaires n'accepte un ressentiment prolongé, ils passeront à travers différends et querelles. Les rapports sexuels sont également satisfaisants, le feu et l'air partageant le goût de la fantaisie et de l'érotisme; à cause de l'imagination souple de l'air et de la réaction sensuelle du feu, la relation devrait être harmonieuse. À l'occasion toutefois, le feu peut trouver que l'air est un tout petit peu esthète et cérébral en amour alors que l'air risque de trouver le feu un peu impatient et dénué de discernement; mais, à moins qu'il n'y ait conjonction de la Lune, de Vénus, de Mars et de Saturne, tout devrait bien se dérouler. S'il y a des inconvénients majeurs à cette combinaison, ils résident dans l'habituelle difficulté de l'air d'exprimer ses émotions, par opposition à la grande émotivité et à la passion du feu. Bien que ces deux éléments puissent bien communiquer entre eux, l'air ne peut supporter une grande passion et le feu ne peut faire abstraction longtemps de ses sentiments. Cependant, les différences se résolvent plus aisément dans le présent cas que dans celui des combinaisons feu/terre et feu/eau, même si cela suppose une certaine autonomie des partenaires.

Feu et eau

Les combinaisons abordées jusqu'ici, bien que présentant des différences d'éléments qu'il n'est pas toujours facile de concilier, peuvent du moins être envisagées du fait qu'elles possèdent des caractéristiques susceptibles d'être modifiées. La terre et l'air peuvent jusqu'à un certain point être contrôlés et jaugés par le feu. Le feu et l'eau forment toutefois une association difficile et ce, dans tous les sens du terme. Ces deux signes sont fortement émotifs mais de façon entièrement différente. Le feu est tempétueux, spontané et il exprime ouvertement ses émotions sans qu'il soit besoin d'y répondre nécessairement. Élément passif et plus souple, l'eau a besoin d'un apport émotionnel, de compréhension et, bien que ses émotions ne soient pas précisément contenues à l'intérieur, elle exige une réaction. Les signes de feu ont tendance à être irréfléchis, égoïstes, mais ils pardonnent et oublient aisément tandis que les signes d'eau sont très sensibles, vulnérables et ont tendance à broyer du noir et à bouder si on les blesse. Le feu est fréquemment exaspéré par l'inaptitude de l'eau à se sortir de ses humeurs maussades et l'eau a l'impression que le feu est détestable et égoïste, de sorte que le dialogue entre les deux est plein d'embûches.

Le feu ne veut pas nuire à l'eau ou la blesser intentionnellement mais, parce qu'elle n'expose qu'avec réticence ses griefs personnels (de peur d'être blessée davantage), la tension émotionnelle augmente entre les deux. Quand, finalement, l'émotion ne peut plus être contenue par le sujet eau, le débordement émotionnel qui s'ensuit, plutôt que de susciter la compassion du partenaire feu, peut agir de façon contraire; le feu reste alors paralysé par suite de la trop grande démonstration d'émotivité de son vis-à-vis.

Ainsi, le problème majeur qui guette la relation feu/eau réside non seulement dans l'acceptation réciproque de besoins émotionnels et de comportements différents mais aussi dans le fait de s'en accommoder. Le partenaire feu doit en quelque sorte faire plus d'efforts que l'autre, devant constamment tenir compte de l'extrême vulnérabilité de l'eau; l'eau par contre doit dominer sa tendance à souffrir en silence et à accumuler des rancunes qui, si elles perdurent, ne peuvent plus être aplanies.

Ici encore, la relation feu/eau dans la même quadrature semble exercer une attraction fatale à l'égard des deux sujets concernés; c'est ainsi que l'astrologue connaît trop bien les couples Bélier/Cancer, Lion/Scorpion, Sagittaire/Poissons.

La relation physique du couple feu/eau s'amorce habituellement bien car le feu est encore prudent et l'eau n'a pas encore commencé à se sentir trop vulnérable ou offensée. Cependant, comme les deux éléments sont très émotifs, de grands ajustements et d'importantes concertations doivent être tentés afin d'aplanir les différends. La pulsion sexuelle de l'eau est reliée à ses sentiments, de sorte que si elle se sent blessée ou si elle est d'humeur maussade, elle peut être sexuellement amorphe. Réciproquement, l'énergie sexuelle du feu jaillit à la moindre étincelle, à moins qu'il n'éprouve des troubles de santé. Ainsi, l'eau punit souvent le feu pour ses erreurs en rejetant ses avances, de sorte que la sexualité devient une arme entre les mains des deux partenaires. Avec beaucoup de compréhension, le feu et l'eau peuvent jouir d'une relation tendre et prolongée, ce qui est important, étant donné la tendance de ces deux signes à l'insécurité émotionnelle. Mais tout comme pour l'union feu/terre, ils doivent y mettre l'effort nécessaire.

Terre et terre

Bien que la combinaison terre/terre n'ait aucun des inconvénients majeurs de la relation feu/feu et qu'elle ne souffre pas comme celle-ci d'instabilité émotionnelle et financière, elle manque par contre d'exaltation. Les signes de terre sont portés à la prudence, à rester dans le domaine familier plutôt que de s'aventurer dans l'inconnu. La combinaison de ces deux signes suscite beaucoup de respect mutuel, de support et de sécurité et, alors que la combinaison des autres éléments se termine souvent par un divorce ou un remariage, cette union perdure toute la vie. La confiance qu'inspirent les signes de terre atteste que la plupart des difficultés pourront être aplanies, conformément au principe qui veut que "tout ce qui dure doit constituer un investissement profitable"; quand surgissent des différends, le gros bon sens vient réunifier les partenaires.

Comme cet élément possède des attributs très physiques, la combinaison sexuelle terre/terre est habituellement satisfaisante, bien que chaque partenaire soit peu enclin à remettre en question les besoins émotifs et physiques de l'autre (le type terre remet rarement en question l'action physique). Toutefois, comme le signe de terre a tendance à supprimer ses besoins émotionnels en faveur de la sécurité, il est très vulnérable aux passions amoureuses. Bien qu'il ne soit pas infidèle de nature, le besoin inconscient d'aventure et de nouveauté le porte à faire des rencontres excitantes. Toutefois, les partenaires sont parfaitement conscients de leurs responsabilités réciproques et, à la condition qu'il y ait des croisements d'aspects plus bénéfiques dans l'horoscope, la relation devrait être durable et heureuse.

Terre et air

L'air est certes essentiel au transport des graines qui font produire la terre mais il soulève également beaucoup de poussière, de sorte que les relations terre/air, tout comme celles du feu et de l'eau, peuvent être remplies d'embûches.

Le type terre trouve que le sujet air est un peu superficiel et difficile à saisir, tandis que l'air est étouffé par l'approche conservatrice et pratique de la terre. Pour toutes ces raisons, il existe souvent peu d'attirance mutuelle au début mais, si la relation s'établit, elle est susceptible de s'avérer à la fois durable et profitable. La terre et l'air partagent une caractéristique essentielle: la rationalité. Ils diffèrent toutefois en ce que l'air a un penchant intellectuel et tend à l'abstraction alors que la terre préfère appliquer les idées de façon essentiellement réaliste et pratique. En dépit de ces facteurs, l'éclat intellectuel de l'air conjugué à la persistance et au sens de l'organisation de la terre peuvent produire des miracles.

Les véritables différences entre les deux éléments s'incarnent dans le domaine affectif et sexuel. Les deux types ont tendance à cacher leurs sentiments; l'air parce qu'il a de la difficulté à les exprimer et la terre parce qu'elle contrôle ses émotions et fait grand cas de la relation sexuelle. Ainsi, l'air peut croire que son partenaire terre manque de romantisme ou de raffinement et qu'il ne tient compte que de l'aspect physique. Par contre, la terre risque d'être frustrée et de demeurer perplexe face à l'incapacité de l'air à répondre à une stimulation purement physique dont la fantaisie et les allusions subtiles sont absentes. C'est pourquoi la combinaison feu/terre est plus profitable à l'intérieur du mariage, où s'intègre la sexualité, alors que la combinaison terre/air est plus profitable dans une relation professionnelle, où la sexualité et les émotions jouent un rôle superflu.

Quand tout va bien, l'air stimule la paresse mentale de la terre et la force à sortir d'elle-même, cependant que la terre fait s'incarner dans la réalité les bouffées de fantaisie de l'air et lui donne de la stabilité et de la substance. Ce couple, tout comme celui du feu et de la terre, a besoin que les conjoints connaissent les différences de tempérament de chacun pour atteindre l'harmonie.

Terre et eau

La combinaison de ces deux éléments sympathiques constitue un facteur favorable à la relation. La stabilité de la terre et la confiance qu'elle inspire servent de repoussoir parfait à l'insécurité et à la fragilité de l'eau. La terre ne se sent jamais brûlante et gênée comme avec le feu, ou troublée comme avec l'air. L'eau répond par instinct et sans restriction à la terre alors que la terre a un tempérament plein de ressort et de fermeté. Cependant, des désavantages sont liés même aux meilleures combinaisons d'éléments; ainsi, la terre et l'eau voient magnifiées leur inclination mutuelle au doute et au pessimisme. Si la terre éprouve des difficultés et que l'eau craint pour sa sécurité, aucun des deux ne pourra redonner confiance à l'autre ou contrer sa tendance névrotique. Ils se retireront progressivement en eux-mêmes, préoccupés par leurs propres soucis et leurs pensées négatives (7).

La relation physique terre/eau est habituellement favorable. Avec la terre, l'eau se sent habituellement "chez elle" et en sécurité de sorte que la sécurité émotionnelle qu'elle ressent favorise l'expression de sa sexualité. En retour, la terre a un partenaire sensible et passif, dont le besoin de contact physique (fortement rattaché à ses émotions) satisfait à ses propres désirs.

De plus, la connaissance par les partenaires des différences de tempérament de chacun est d'une importance primordiale pour le

---

7. Cette tendance se modifiera éventuellement si les deux présentent davantage d'aspects dans leurs thèmes de naissance et l'un par rapport à l'autre.

succès ou l'échec de la relation. La terre peut éprouver de la difficulté à rationaliser les humeurs changeantes de l'eau et l'eau risque de trouver la terre un peu insupportable et dogmatique mais, en général, ces deux éléments présentent un bon équilibre; en outre, cette association est favorable aux deux partenaires et elle est durable.

Air et air

Le manque de communication risque de ne jamais faire problème entre partenaires à prédominance air; il est possible toutefois que la relation soit plutôt cérébrale, voire platonique. Si un partenaire a plus de terre et d'eau que l'autre dans sa carte du ciel, des difficultés peuvent surgir; il peut en effet penser que la relation est trop superficielle et qu'elle présente pour lui peu de satisfaction sur le plan affectif.

Comme il a été dit précédemment au sujet des associations feu/feu et terre/terre, les facteurs négatifs ont tendance en général à l'emporter sur les facteurs positifs et ce, même si la similitude des tempéraments comporte certains avantages. Deux sujets de type air peuvent être à l'origine fortement stimulés l'un par l'autre sur le plan mental et avoir de bonnes relations; mais si aucune de leurs idées ne trouve d'application, les deux partenaires en viendront bientôt à s'accuser mutuellement de parler pour ne rien dire.

Le couple air/air est exagérément romantique de nature. Les trois signes du Verseau, des Gémeaux et de la Balance adorent le romanesque en amour et ils apportent un grand soin à la recherche du décor et de l'atmosphère appropriés à leurs ébats amoureux. Comme les deux partenaires exercent peu leurs sens physiques, ils ont besoin d'un peu de subtilité et de fantaisie avant de passer à l'action.

Les couples air/air ont habituellement une vie sociale remplie et poursuivent des intérêts intellectuels et culturels conjoints; en dépit du fait qu'ils apprécient la discussion, ils sont moins enclins que d'autres associations d'éléments à se livrer à de petites escarmouches domestiques. Cependant, comme l'air est excessivement agité, la relation air/air pourrait aboutir à la séparation; mais, à condition qu'il y ait entente sur la nature de leurs rapports en dehors du couple, aucun dommage sérieux ne saurait résulter d'un flirt occasionnel. Les couples de type air sont souvent perçus par autrui comme filant le bonheur parfait, et cette perception est généralement fondée.

Air et eau

L'air et l'eau ne sont pas les éléments les plus faciles à marier dans une relation. L'air est détaché de ses sentiments alors que l'eau est consumée par eux. En dépit de cela, les types d'air et d'eau sont souvent attirés fatalement l'un vers l'autre. L'air est fasciné par le sens intuitif, la sensibilité et la retenue de l'eau. L'eau admire la diplomatie, le pouvoir de raisonnement et l'agilité mentale de l'air.

Les premières étapes d'une relation air/eau peuvent absorber entièrement les deux éléments. L'air tentera de comprendre les humeurs irrationnelles de l'eau et l'eau pour sa part sera captivée par l'éclat et la fascinante conversation de l'air. Comme les deux éléments sont assoiffés de romanesque et de subtiles manoeuvres sexuelles, ce couple est quelque peu difficile à saisir, non seulement pour l'entourage mais pour les protagonistes eux-mêmes. Ainsi, les fréquentations pourraient traîner en longueur. Toutefois, après un certain temps, les priorités largement divergentes des deux éléments commenceront à apparaître. Pour être à son meilleur, l'eau a besoin de compréhension et de stabilité, et l'air ne peut dispenser aucun de ces éléments. Il peut tenter de raisonner avec l'eau mais il ne peut habituellement pas la comprendre; par ailleurs, l'agitation de l'air se transmet avec tellement de facilité à l'eau, que celle-ci sombre dans l'insécurité. L'air sent qu'il ne peut circuler librement en présence des tendances possessives de l'eau (quelle que soit leur subtilité). Il est frustré dans ses tentatives de raisonnement avec l'eau et, un peu comme le feu, il reste pétrifié par les débordements émotionnels de son partenaire. Ce type d'embêtement est cause de séparation chez de nombreux couples air/eau. Il est typique de voir le partenaire de type air céder le premier, ce qui relègue l'eau au rôle qui lui est familier d'amant bafoué.

En début de chapitre, nous parlions de la tendance de certains êtres à se rapprocher de ceux qui possèdent ce qu'eux-mêmes n'ont pas. Or, à moins qu'une personne soit très consciente d'elle-même, elle méprisera éventuellement ce qui l'avait d'abord attirée. Ainsi, dans la relation air/eau, la fascination de l'air pour les attributs sentimentaux de l'eau devient trop souvent une raison de critiquer l'emportement émotionnel de ce dernier, et l'attirance de l'eau pour la force de raisonnement de l'air se mue en critique de son insensibilité. La perspicacité peut cependant faire fructifier cette association. L'air peut en effet modifier la nature de cette sensibilité exacerbés de l'eau, l'amener à rationaliser son expérience et à affronter le monde, tandis que l'eau peut amener l'air à être sensible à autrui et à enrichir sa perception abstraite du monde.

Eau et eau

L'association de deux signes d'eau risque fort peu de susciter un manque de sentiment et une distanciation émotionnelle. De fait, le résultat est tout à fait à l'opposé: l'hypersensibilité de chaque partenaire aux sentiments de l'autre risque de faire basculer la relation. Comme pour les autres associations d'éléments, le renforcement des facteurs positifs est bénéfique mais les difficultés s'accroissent quand les tendances moins favorables sont multipliées par deux. L'association de deux signes qui tendent à devenir hypersensibles et à avoir peur d'affronter les événements peut mener à un rejet du monde extérieur qui ne permet plus de retour en arrière. L'eau a besoin de temps en temps de se distancer de ses émotions, et la relation de deux êtres émotifs et sensibles rend cette distanciation quasi impossible. Bien qu'ils puissent communiquer intuitivement et avoir de la compassion l'un pour l'autre ou se consoler dans l'adversité, ils s'accrochent l'un à l'autre plutôt que d'affronter les difficultés. Comme l'eau a tendance à entretenir toutes sortes de phobies, une sympathie mal dirigée ou de trop nombreux soucis ne font que les exacerber.

L'élément eau craint le rejet et l'isolement plus que d'autres; c'est ainsi que les signes d'eau continuent à fréquenter des gens inintéressants uniquement à cause de la sécurité émotionnelle qu'ils en retirent. La combinaison de deux signes d'eau fera perdurer la relation, fût-elle insatisfaisante ou malheureuse. Ils attendront plutôt que les circonstances se chargent de briser la relation à leur place, ou encore l'un des deux partenaires dirigera l'autre vers une impasse émotive, ce qui lui permettra à "lui" de jouer le rôle du partenaire rejeté et bafoué. Le couple tend à s'accrocher au passé et, habituellement, il n'arrive qu'à travers le rejet physique et la froideur émotive à admettre la fausseté d'une situation. À moins qu'un partenaire n'ait plus d'air et de feu que l'autre, ce type de situation peut se poursuivre des années durant.

L'aspect positif de cette association est que celle-ci peut amener à une compréhension large et aider à supporter toute forme de difficultés et de revers de fortune. Deux individus chez qui prédominent l'élément eau peuvent se satisfaire l'un de l'autre toute la vie et ce, dans une symbiose qui s'établit apparemment sans effort.

D'autres combinaisons d'éléments peuvent être source d'embarras, mais il n'est pas impossible d'aplanir ces difficultés. C'est le cas, par exemple, lorsque l'un des deux partenaires est à prédominance feu et air avec un peu de l'élément terre, et que l'autre est majoritairement à prédominance terre/eau. De la même manière, une trop grande similitude d'éléments peut susciter tensions et conflits, comme cela a été démontré dans les paragraphes précédents. Au niveau des qualités, on constate que deux personnes à signes fortement cardinaux peuvent devenir trop agressives et en venir facilement à des affrontements personnels. Les gens dont les signes sont en grande partie mutables tendent en revanche à tellement éparpiller leurs énergies que les partenaires s'écarteront d'emblée l'un de l'autre; par ailleurs, une trop grande tendance à la fixité peut accroître l'obstination des conjoints et susciter de nombreux blocages. En synastrie, il est préférable d'assister à un contraste plutôt qu'à une opposition entre les éléments et les qualités propres aux différents partenaires.

Chapitre deux

Exemples de thèmes (I)

Nous avons tous en nous certains pouvoirs électriques et magnétiques et nous-mêmes exerçons une force attractive et répulsive, selon que nous venons en contact avec quelque chose de semblable ou de dissemblable à nous.

Goethe

Pour illustrer la façon dont éléments et qualités peuvent éclairer le dialogue au sein d'un couple, nous considérerons diverses cartes du ciel et déterminerons leur interaction sur la seule base de l'horoscope. Il y a évidemment de nombreux autres facteurs importants dans une comparaison de thèmes complète, mais ceux-ci peuvent être incorporés ultérieurement.

Bien que l'équilibre des éléments et des qualités puisse aisément être déterminé d'après le décompte des planètes ayant élu domicile dans chaque groupe zodiacal, il est également nécessaire de tenir compte de la nature des planètes en cause. Si une planète individuelle (Soleil, Lune, Mercure, Vénus ou Mars) se trouve associée à un élément particulier, cet élément aura plus d'importance dans l'interprétation astrologique que si c'est Uranus, Neptune ou Pluton (ou même Saturne et Jupiter) qui se trouvent dans cet élément. (Comme Uranus, Neptune et Pluton séjournent plusieurs années dans un signe, on les perçoit comme étant des planètes moins individuelles. Cependant, la position des Maisons à la naissance et les aspects qui s'y rapportent par le biais des planètes individuelles les font entrer dans le champ de l'expérience individuelle.) Il y a toutefois exception quand une de ces planètes extérieures gouverne l'ascendant: on l'appelle alors la maîtresse de l'ascendant. Par conséquent, si un individu possède trois planètes dans l'élément eau et une dans l'élément feu et que celles-ci s'avèrent être Uranus, Neptune, Pluton et la dernière la Lune, un praticien s'attendrait, malgré la faiblesse apparente de l'élément feu, à ce que les attributs associés à ce dernier élément éclipsent ceux qui le sont à l'eau.

Les cartes du ciel apparaissant aux figures 4 et 5 sont celles d'un couple marié depuis quatre ans. L'attirance entre les conjoints fut immédiate et intense; en dépit de nombreuses épreuves (finan-

49

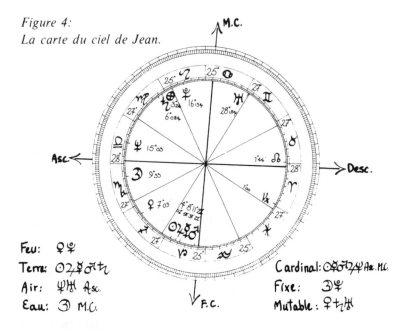

Figure 4:
La carte du ciel de Jean.

Feu: ♀♀

Terre: ☉♃♀♂♄

Air: ♆♅ Asc.

Eau: ☽ M.C.

Cardinal: ☉♀♂♃♀Asc.MC.

Fixe: ☽♀

Mutable: ♀♄♃♅

cières et autres), le couple est heureux et vit en harmonie. Jean et Marie sont un bon exemple d'association dite du *rouleau compresseur*, telle qu'abordée au chapitre précédent. Comme cette association peut susciter des difficultés, l'aptitude des conjoints à accepter leurs différences individuelles, plutôt qu'à tenter de les aplanir, contribue à leur bonheur.

Marie est un type feu/eau et n'a aucune planète dans les signes de terre (pas même dans l'ascendant et le Milieu-du-ciel [ou méridien]). Jean a une prédominance Terre, avec légère accentuation feu. (Vénus, bien qu'importante en tant que maîtresse de l'ascendant, est la seule planète *individuelle* dans cet élément; comme c'est une planète féminine, elle est une bonne indication du type de femme qu'il recherche (1). Marie, en tant que type feu/eau, est fortement émotive et oscille entre des actes impulsifs (feu) et de soudains manques de confiance (eau) (2). Bien que très créatrice,

1. Voir au chapitre 4: Vénus.
2. Ceci est magnifié par Mars (maître du Soleil) en conjonction avec Saturne en carré avec l'ascendant.

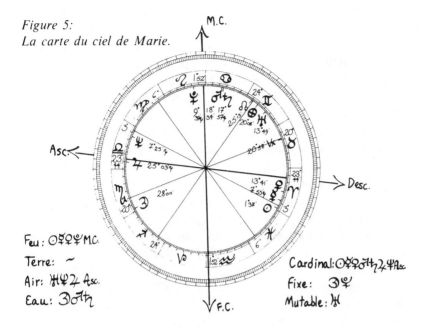

Figure 5:
La carte du ciel de Marie.

elle a besoin de stabilité, qu'on la guide dans la réalisation de ses objectifs, et elle a besoin de la sécurité d'une relation durable qui lui permettra d'ancrer ses émotions. Jean représente typiquement le type terre avec le Soleil, Mercure, Mars, Jupiter et Saturne dans cet élément. Il est responsable, prudent et possède un esprit créateur. Il peut manquer un peu de spontanéité et de créativité mais il tend à atteindre finalement ses objectifs. Il a besoin d'inspiration et d'encouragement pour mieux apprécier la vie et s'assurer le succès avant qu'il soit trop tard. Il est donc attiré par la personnalité ouverte et positive de Marie.

Prédominent les signes cardinaux dans les thèmes de Jean et Marie, de sorte qu'ils aiment réaliser des choses et sont très dominateurs. Ces deux cartes du ciel indiquent l'attraction qui s'exerce entre attributs similaires bien que les éléments soient en opposition: Marie a une dominante Bélier et Jean a une dominante Capricorne. Comme ces deux signes sont très ambitieux, la combinaison des forces des deux sujets peut produire les résultats voulus, du moins dans le cadre mondain. En fait, ils se sont encouragés mutuellement et entraidés dans leurs carrières respectives. Toutefois, d'importants affrontements sur le plan de la personnalité viennent contrer les facteurs de paix et d'harmonie que recherchent leurs ascendants Béliers. Ils ont des comportements diamétralement opposés; Marie préfère l'action et les résultats immédiats tandis que Jean aime prendre son temps. L'assurance innée du Bélier et du Capricorne peut les distraire à l'occasion. La différence entre la combinaison cardinale feu/eau par rapport aux combinaisons fixe ou mutable se perçoit aisément. Bien que des accrochages soient susceptibles de se produire avec de tels attributs, les signes cardinaux préfèrent affronter les problèmes de face plutôt que de recourir, comme les signes fixes, au blocage ou à la résistance, ou encore, comme les signes mutables, de se replier sur eux-mêmes.

Aucun des partenaires n'a de planètes individuelles dans les signes d'air, ce qui annonce des difficultés initiales de communication et démontre une inaptitude à se détacher de situations difficiles. Mais même sans considérer en détail les aspects de Mercure, on peut constater des ascendants air chez les deux sujets, ce qui leur permet de trouver un terrain d'entente commun (après avoir résolu les conflits, cependant). Comme les ascendants sont dans la Balance, un signe qui s'identifie avec le principe de la communication et du franc-jeu, ils possèdent tous deux l'aptitude à céder et à faire des compromis au moment requis. Un autre facteur à considérer ici est que Jean et Marie ont tous deux le maître de l'ascendant dans un signe de feu (avec un important trigone entre chaque maître de l'ascendant), ce qui constitue un lien fort et harmonieux. Un autre facteur qui joue en leur faveur est que leurs Lunes sont dans des signes d'eau, ce qui les rend instinctivement sensibles l'un à l'autre et souligne le puissant lien émotif qui les unit. Comme la Lune de chacun est dans le Scorpion, leurs passions sont profondes, possessives et dévorantes. Il est peu probable que la relation soit superficielle: les deux ont besoin de la sécurité d'une relation profonde et durable demandant un engagement total (et exclusif) de la part de chacun.

Comme il a été dit au chapitre précédent, le piège d'une relation feu/air réside dans le fait qu'un partenaire peut forcer l'autre à lui ressembler, ce qui ne peut survenir si tous deux sont de fortes têtes. Comme la relation est très heureuse, le problème inhérent à cette union d'éléments a été résolu. En l'occurrence, les conjoints ont de nombreux intérêts en commun, ils partagent les mêmes valeurs et, fait encore plus important, leur amour est profond et réciproque et ils réussissent à exprimer ouvertement leurs émotions. Comme pour toutes les relations, le temps constituera l'épreuve ultime.

Les cartes du ciel des figures 6 et 7 sont de bonnes illustrations de la façon dont un conjoint supplée à l'élément manquant de l'autre. Vivien Leigh et Sir Laurence Olivier constituaient un couple fascinant, talentueux et plein d'éclat. Ils entretinrent pendant trente-trois ans une relation très passionnée et turbulente. Les deux quittèrent familles et enfants pour se marier en 1939, au milieu d'un battage publicitaire monstre, mais ils divorcèrent en 1960.

Vivien Leigh était un type à dominante air/eau. Un examen plus détaillé des planètes de son horoscope montre que la Lune et Vénus sont dans des signes d'air (ces deux planètes symbolisent sa féminité) tandis que le Soleil et Mars, qui sont deux planètes masculines (3), sont dans l'élément eau. Le feu et la terre sont peu importants dans la carte du ciel de Vivien Leigh, en dépit du fait que Mercure, planète individuelle, soit dans le Sagittaire. Au contraire, on constate au premier coup d'oeil sur l'horoscope de Laurence Olivier que c'est le couple terre/eau qui prédomine mais, comme Neptune, Saturne et Jupiter sont dans les planètes associées à l'eau et que le Soleil, Mercure, Mars et la Lune le sont à la terre, le dernier élément constitue une dominante forte. L'air et le feu semblent peu importants dans le thème astrologique de Laurence Olivier; en premier lieu, Pluton est la seule planète dans l'élément air mais, comme l'ascendant et le Milieu-du-ciel sont respectivement dans les Gémeaux et le Verseau, l'élément apparaît clairement. Laurence Olivier n'a qu'une planète de type eau et, comme elle est située à un angle de trente minutes du signe du Taureau et que progressivement elle aurait occupé ce signe durant presque trente ans de sa vie, l'élément feu a véritablement peu d'importance dans son horoscope. C'est ainsi que Sir Laurence Olivier est principalement un type terre/air.

---

3. Voir au chapitre 3. "Le Soleil" et "Mars dans la Maison sept".

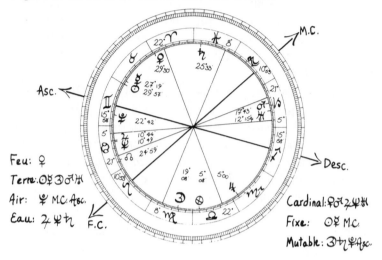

Figure 6: La carte du ciel de Laurence Olivier.

Vivien Leigh constituait un bon exemple de l'union air/eau. Elle était passionnée et vulnérable (eau); ces deux attributs ressortaient dans les rôles qu'elle incarnait à l'écran tout comme, par ailleurs, la rapidité d'esprit et le fait d'être aguichante. Malheureusement, cette union a ses pièges puisqu'elle suppose un équilibre délicat entre l'intellect et l'émotivité, entre la réalité et la fantaisie. Vivien Leigh était en fait du type maniaco-dépressif et elle passa les dernières années de sa vie à entrer et sortir de maisons de santé. Peut-être l'insécurité notoire du monde du spectacle affecta-t-elle son équilibre psychologique précaire. Tout comme Marie, Vivien Leigh avait besoin de sécurité affective et de stabilité. Laurence Olivier devint en quelque sorte un sculpteur à ses yeux, façonnant sa beauté et son talent pour en faire un outil théâtral très efficace. Toutefois, à mesure que leurs carrières et leurs différences les séparèrent, son insécurité et ses peurs s'accrurent. Aux périodes de calme et de comportement normal succédaient des périodes d'hystérie et d'obsessions morbides. De diverses manières, plus elle réclamait un appui affectif, plus elle éloignait d'elle Laurence Olivier.

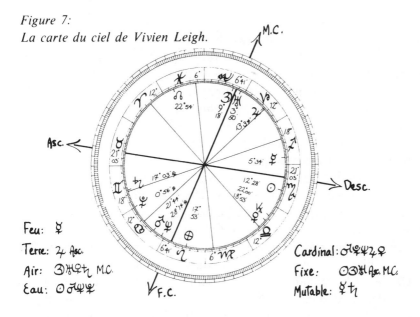

Figure 7:
La carte du ciel de Vivien Leigh.

Feu: ☿
Terre: ♃ Asc.
Air: ☽♅♀♄ M.C.
Eau: ☉♂♆♇

Cardinal: ♂♇♀♃♀
Fixe: ☉☽♅ Asc. M.C.
Mutable: ☿♄

Olivier, un des plus grands acteurs de son époque, a démontré l'énergie du type terre en demeurant au sommet de sa profession pendant cinquante ans, non seulement en tant qu'acteur, mais aussi en tant que producteur, directeur et administrateur d'une compagnie théâtrale. On peut observer également ici la dominante air représentée par son besoin de défi intellectuel et son aptitude à jouer quantité de rôles (particulièrement typiques de son ascendant Gémeaux). Bien qu'il soit réticent à discuter de son mariage avec Vivien Leigh, il ne fait aucun doute que leur relation (du moins dans les premières étapes) fut débordante de passion. La polarité Taureau/Scorpion de leurs Soleils trahit une attitude de "tout ou rien" dans la vie et démontre bien que les contraires s'attirent. Comme les deux Soleils sont dans des signes fixes, il aurait été difficile à chacun de céder sur des points qu'ils considéraient essentiels.

Laurence Olivier aurait été attiré par Vivien Leigh non seulement à cause de sa grande beauté mais aussi de son caractère passionnel, de sa sensibilité (eau) et de sa souplesse d'esprit (air). Elle aurait pu remettre ses vues en question et constituer une partenaire sensible sur le plan affectif, et qui l'aurait stimulé mentalement. Toutefois, bien que ses changements de personnalité aient pu le fasciner au début, ils l'effrayèrent probablement plus tard et l'épuisèrent à mesure qu'ils augmentèrent en intensité. Vivien Leigh a probablement été attirée par le talent et le sens des réalités très développé (terre) d'Olivier, mais à mesure que leurs rapports évoluaient et qu'il n'arrivait plus à s'émouvoir de ses sautes d'humeur, elle l'a sans doute accusé de manquer de sensibilité (absence de l'élément eau).

Les ascendants sont également de bons indicateurs des courants qui s'établissent entre les éléments opposés des deux partenaires. L'ascendant de Vivien Leigh dans l'élément terre s'accorde avec la dominante Taureau d'Olivier. Vénus, la maîtresse de l'ascendant, se trouve toutefois dans la Balance, un signe d'air. Le même phénomène se produit dans le thème astrologique d'Olivier. L'ascendant est dans l'élément air mais Mercure, maîtresse de l'ascendant, est dans le Taureau, signe de terre. On perçoit dans la Balance une forte relation terre/air qui s'accordait parfaitement avec le thème natal d'Olivier. Cependant, en dépit de l'amour qu'ils avaient l'un pour l'autre, la relation s'effrita, bien que, d'après les normes contemporaines, trente-trois ans soit un temps bien long. On peut sans doute penser que le problème fondamental était l'inaptitude chez eux à intégrer l'élément eau de leur relation.

Chez Vivien Leigh, le Soleil et Mars dans l'élément eau démontre qu'elle avait besoin d'un compagnon compréhensif et sensible. Olivier, qui était principalement de type terre/air, peut lui avoir fourni la stabilité émotionnelle mais il ne pouvait faire usage de sa rationalité lors d'un déploiement d'émotivité. Au début, la relation se maintint grâce à la grande passion amoureuse qu'il y avait entre eux. Mais au fil des années, le manque de véritable réaction affective de la part d'Olivier mina la fragile structure mentale de la comédienne. Bien qu'Olivier pût ne pas avoir été à l'origine des troubles mentaux de Vivien Leigh, il est indubitable que leur relation malheureuse contribua à accentuer son état. L'envie d'Olivier d'une relation paisible fondée sur l'appui mutuel devint pour lui de plus en plus importante, de sorte qu'il se maria plus tard à la comédienne Joan Plowright qui, étrangement, était un autre Soleil Scorpion, mais dont la Lune se trouvait dans le même signe de terre qu'Olivier, la Vierge. Peut-être que l'histoire se serait déroulée différemment si la Lune de Vivien Leigh s'était trouvée dans un élément compatible.

Le troisième couple dont les thèmes apparaissent aux figures 8 et 9 est moins un exemple d'échange d'éléments opposés que de l'absence d'un élément commun aux deux partenaires.

On a écrit beaucoup sur la montée au pouvoir d'Adolf Hitler et sur les exactions qu'il a commises. On connaît son ascendant sur le peuple allemand des années 30 et, bien sûr, l'influence qu'il exerça sur la destinée des peuples. Toutefois, on a peu d'informations sur sa vie privée et, tout particulièrement, sur ses rapports avec Eva Braun. Eva n'avait que dix-sept ans quand elle rencontra pour la première fois Hitler, qui avait presque deux fois son âge. Leur relation fut pour une grande part tenue secrète, ce qui convenait à Hitler mais non à Eva, qui détestait cet anonymat. Certains affirment qu'il n'y eut aucune relation sexuelle entre eux, alors que d'autres affirment qu'il y eut même un enfant. Hitler épousa Eva Braun le jour précédant leur suicide dans le bunker de Berlin assiégé, à l'issue de la Seconde Guerre mondiale.

Eva Braun et Adolf Hitler étaient tous deux des types feu/terre. Hitler était à dominante terre (le Soleil, la Lune, Vénus, Mars et Jupiter dans l'élément terre) alors que ses planètes d'air sont Uranus, Neptune et Pluton, ne laissant que l'ascendant dans la Balance. Leurs Soleils à tous deux suivent le modèle des deux autres exemples, où les attributs sont similaires (fixes) mais où les éléments s'opposent (air, terre). Eva Braun avait le Soleil, Mars, Uranus et Pluton dans l'élément air, les deux planètes supérieures ajoutant leur poids pour l'occasion, alors qu'Uranus gouverne le Soleil et Pluton l'ascendant. Chez Eva Braun, la Lune, Vénus, Mercure et Saturne étaient toutes dans des signes de terre, de sorte que son thème recèle un assez bon équilibre entre les éléments air et terre. Ils manquaient tous deux de l'élément eau et Eva n'y avait que Neptune, bien que son ascendant fût dans le Scorpion.

On peut certes constater que, chez Hitler, l'absence de l'élément eau s'est manifestée dans son comportement. En premier lieu, il avait une idée abstraite de la façon dont le monde aurait dû être (air) et de la façon de le modeler (terre); dans cette idée abs-

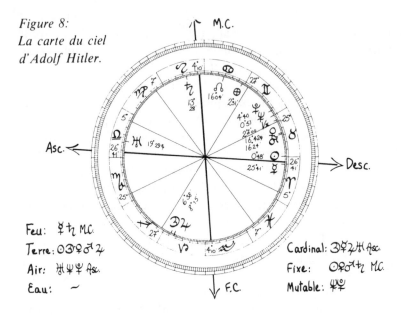

Figure 8:
La carte du ciel
d'Adolf Hitler.

traite s'exprimaient le fanatisme et l'extrémisme (aspect fixe). Son apparente insensibilité globale à l'égard des sentiments d'autrui parle d'elle-même et, bien qu'il fût sentimental à l'extrême, il exprimait une absence considérable de sensibilité dans ses relations avec ses collègues et ses proches. Il avait du charme mais, apparemment, il n'avait pas de sentiments. Quand il manifestait un mouvement de l'âme, c'était sous forme de déchaînement irrationnel qu'il ne semblait pas capable de contrôler. Il avait une perception quelque peu chauviniste des femmes; on rapporte qu'il disait: "Un homme doit imprimer sa marque sur toute femme"; et encore: "Les femmes ne sont pas douées pour la politique à cause de leur inaptitude à distinguer entre raison et émotion."

Cependant, Hitler lui-même était censé avoir des caractéristiques très féminines. Certains pensent même qu'il était homosexuel. Il était obsédé par l'idée de porter des gants; sa voix devenait aiguë et ressemblait presqu'à une voix de fausset quand l'excitation ou la colère l'assaillait; il offrait même à ses officiers de faire leur lessive. Comme l'indiquent les signes féminins, par suite

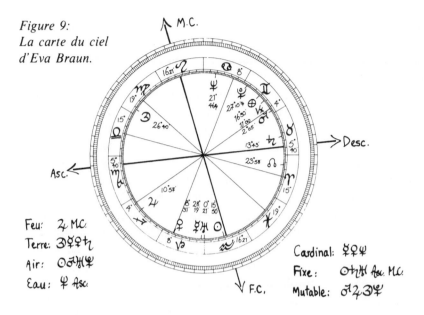

Figure 9:
La carte du ciel
d'Eva Braun.

de l'absence de l'élément eau dans son horoscope, il ignorait complètement cet aspect de sa psyché. Incapable d'intégrer avec succès ce principe à sa personnalité, il se présentait comme une grossière caricature de la féminité.

On connaît encore moins Eva Braun. On peut déduire de son thème astrologique qu'en tant que Verseau de type air elle pouvait supporter sa position peu conventionnelle de maîtresse d'Hitler et persister (terre) jusqu'à la conquête de son homme, à la condition toutefois qu'elle fût reconnue — et pour ce, elle était même prête à mourir. Mais ici encore, il semble que ses émotions manquaient de coordination et qu'elle cherchait surtout à attirer l'attention. Elle tenta de se suicider deux fois au moment où elle se sentait délaissée et méconnue. Après sa deuxième tentative de suicide, Hitler l'installa dans une villa, ce qui l'apaisa et la fit reconnaître en tant que sa maîtresse. Bien qu'elle s'immisçât plus avant dans sa vie dès cette époque, Hitler refusa de se marier et, d'après certains, il ne l'aurait probablement jamais fait, même si l'issue de la guerre avait été différente. En ce qui concerne le mariage, Hitler avait une perception un peu romanesque des choses: "Une femme qui aime son mari ne vit que pour lui. C'est pourquoi elle exige que son mari à son tour ne vive que pour elle. Le mariage est un terrible fardeau à supporter."

Il existe évidemment de nombreuses interrelations d'aspects et d'importantes concordances entre les horoscopes d'Eva Braun et d'Hitler, sans compter leurs propres thèmes natals très complexes. Mais en un sens plus large, le couple d'éléments individuel ou conjugué terre/air démontre que les deux sujets pouvaient tolérer une relation insatisfaisante sur le plan émotionnel à la condition de pouvoir communiquer et s'entendre sur le plan physique.

Il est peu probable que leur relation fût platonique. En dépit de l'apparente absence de sentiments chez Hitler, sa dominante terre dénote un besoin de gratification physique. On a la preuve qu'il avait d'autres maîtresses (avec qui, en passant, la punition était partie intégrante du plaisir sexuel (4). Il est donc improbable qu'il eût poursuivi une relation platonique aussi loin avec Eva Braun. Eva devait avoir un petit quelque chose de peu ordinaire, toutefois, particulièrement si Hitler avait l'intention de maintenir leur relation à un niveau strictement privé, à l'écart de la vie politique; car, pour de nombreuses raisons, se marier avec l'Aryenne idéale aurait été à son avantage. Hitler évitait les relations affectives d'égal à égal et semblait plus à son aise avec de jeunes femmes naïves (5). Pour sa part, Eva percevait sans doute Hitler comme un homme ayant réussi dans la vie et qui avait un statut social; comme elle s'intéressait à la politique avant leur rencontre, on ne peut dissocier l'image du "Nouveau leader mondial" de la fascination qu'il exerçait sur elle. En outre, Eva avait besoin d'une image paternelle forte; cela est formellement inscrit dans Saturne dans la Maison sept. Nous reparlerons plus tard de ce facteur. Par ailleurs, la naïveté d'Eva Braun ne lui permettait pas de reconnaître les problèmes psychologiques d'Hitler ou ses penchants sexuels peu orthodoxes.

Bien que les deux sujets eussent sans doute de la difficulté à exprimer aisément et adéquatement leurs émotions, leurs rapports

---

4. Vénus en conjonction avec Mars en carré avec Saturne.
5. Il avait des rapports avec sa jeune nièce Geli.

étaient à l'image de leurs exigences émotives, donnant stabilité et sens à leur vie. Hitler était engagé dans sa conquête du monde et occupé à gouverner; il n'avait donc aucun goût pour le mariage et ce qu'il impliquait au plan affectif. Sa prétendue homosexualité l'empêchait sans doute de prendre un tel engagement émotionnel. Pour Eva Braun, dont l'horoscope contient l'élément eau, il a dû y avoir un réel engagement, bien que son inexpérience de la vie ne lui permît pas de juger de la valeur de sa relation. D'une façon étrange, l'insuffisance combinée des deux sujets et leurs tendances névrotiques les liaient l'un à l'autre aussi bien que l'eût fait une grande passion amoureuse accompagnée de débordements affectifs. Qui sait ce qu'aurait été le cours de l'histoire si le fanatisme d'Hitler avait été atténué par une vie familiale heureuse?

Chapitre trois

Les planètes, les angles et la Maison sept

La fascination qu'exerce un être humain sur un autre n'est pas dans ce qui ressort de sa personnalité au moment de la rencontre mais dans la somme de son être complet.

Anais Nin

Dans l'introduction, on a parlé de l'importance pour l'individu de prendre conscience, dans le cadre d'une découverte de son être propre, de sa contribution au succès ou à l'échec de ses rapports avec autrui. Ce point établi, on ne saurait par conséquent porter un jugement sur une relation de couple qu'après un examen des thèmes individuels.

La quantité et la variété de renseignements susceptibles de ressortir d'un horoscope recelant dix planètes sont étonnantes; en fait, tout dépend du niveau de lecture astrologique. Après tout, l'horoscope nous donne un aperçu instantané d'un moment précis tel qu'il est perçu par un individu sur Terre. Bien que les planètes soient des forces vivantes ayant une réalité matérielle, elles apparaissent dans les thèmes natals en tant que symboles. La puissance d'un symbole dépend de sa capacité d'exprimer simultanément les divers aspects de l'idée devant être représentée. Hélas, la plus grande partie de la signification de cette force se perd dans le cours de l'interprétation astrologique.

De nombreux spécialistes de l'ésotérisme, dont Gurdjieff, Steiner et Edgar Cayce, soutiennent que nous nous rendons sur les planètes après notre mort, et absorbons leur essence en tant que dimensions de la conscience. Dès le retour sur Terre, notre expérience "enregistrée" sous forme symbolique dans le thème de naissance. Il est donc très possible que les significations des planètes soient perçues par chacun de nous d'une façon particulière et à travers notre propre expérience. Par l'accroissement de la conscience, les systèmes ésotériques nous apprennent que nous pouvons mieux connaître ces archétypes.

Le symbolisme astrologique recèle un canevas de dimension cosmique, un canevas qui dévoile notre hérédité, nos talents, notre structure mentale et notre potentiel psychologique. Ce canevas nous montre également la nature des liens que nous entretenons avec les gens, et bien que nous ne puissions pas toujours comprendre les raisons qui se cachent derrière ces liens, nous pouvons comprendre comment certaines expériences nous arrivent et pourquoi certaines personnes sont liées à nos vies.

Le zodiaque comprend douze Maisons, dix corps célestes et deux grands axes: l'axe ascendant descendant et l'axe du Milieu-du-ciel (MC) Fond-du-ciel (FC). Ces deux axes donnent également les quatre angles, qui sont d'une très grande importance en synastrie. Les Maisons ont une "influence" sur l'"action" des planètes au sein d'un thème natal. Bien que les Maisons cinq et onze soient respectivement associées au romanesque et à l'amitié, nous ne traiterons, pour les besoins de notre démonstration, que de la signification de la Maison sept, des planètes et des angles.

On doit cependant dire un mot des aspects. Par le biais des rapports angulaires (aspects) s'établissant entre les planètes, on relève une quantité de renseignements sur la qualité de l'expérience individuelle dévoilée par les planètes. Les aspects majeurs (harmoniques) qui révèlent une relative facilité d'expression sont le sextile (écart de 60°), le trigone (écart de 120°) et le quintile (écart de 72°) et, de façon moindre, le biquintile (écart de 144°). Les aspects majeurs (discordants), qui souvent soulignent des problèmes, sont le carré ou la quadrature (écart de 90°), le quinconce (écart de 150°), l'opposition (écart de 180°) — ce dernier peut s'avérer un aspect extrêmement créateur selon la nature des planètes concernées — et, de façon moindre, la semi-quadrature ou le semi-carré (écart de 45°) et la sesqui-quadrature (135°). La conjonction (quand deux planètes se trouvent au même degré ou près du même degré), en tant qu'émergence conjuguée de deux principes, est l'aspect le plus fort et peut être harmonique ou discordant, selon la nature des planètes en cause. Finalement, le semi-sextile (écart de 30°) est considéré traditionnellement comme un aspect facile. Cependant, cet aspect, avec son écart de trente degrés, équivaut à un signe entier; d'après le principe voulant que des signes qui se suivent possèdent des propriétés largement différentes et conflictuelles par rapport aux signes précédents, on doit considérer le semi-sextile comme un aspect discordant (1).

---

1. Pour mieux saisir la question des aspects, le lecteur peut consulter un manuel d'astrologie. (Voir en fin de volume les ouvrages recommandés.)

Ascendant/descendant, Milieu-du-ciel/Fond-du-ciel

L'axe horizontal ascendant/descendant scinde le zodiaque en deux; l'hémisphère inférieur représente l'insconscient et la subjectivité tandis que l'hémisphère supérieur (la partie diurne de la journée) représente le conscient et l'objectivité. L'ascendant lui-même se trouve au point où l'insconscient devient conscient et, sur le plan spirituel, on peut le considérer comme le point où l'âme s'incarne sur Terre. Par conséquent, l'ascendant est le point le plus sensible et le plus particulier de la carte du ciel. La Maison un, qui suit le degré de l'ascendant, dénote la façon dont nous nous présentons dans le monde; elle représente notre masque social, notre *persona*. Directement à l'opposé se trouve le descendant, qui marque le début de la Maison sept. Cette dernière traduit notre expérience avec autrui de même que les attentes (souvent inconscientes) et les bénéfices que nous retirons de nos relations. On l'appelle également la Maison des ennemis déclarés et, en ce sens, elle symbolise les pièges que nous nous tendons à nous-mêmes dans nos expectatives de relations et dans notre apport à ces mêmes relations.

Ce serait cependant une grossière erreur que de croire que la Maison sept ne fait qu'indiquer l'action d'autrui sur l'individu. L'horoscope décrit la totalité de l'individu et tout, y inclus l'ensemble des Maisons et des planètes, reflète des facettes de sa vie intérieure et extérieure. L'individu devrait chercher à intégrer de façon harmonieuse tous les aspects de sa personne. Comme la Maison sept ne concerne particulièrement que les rapports individuels, cette section du zodiaque permet de prendre conscience d'aspects cachés de notre personnalité et de les relier les uns aux autres.

Il est bien sûr très difficile de prendre conscience de tout ce que nous sommes et, plus souvent qu'autrement, nous projetons nos forces inconscientes sur les autres. Comme le descendant et la Maison sept se trouvent à l'opposé de la zone de conscience individuelle la plus aiguë (l'ascendant), bien qu'ils ne représentent pas exactement le point le plus inférieur, cette zone a tendance à se prêter à toutes sortes de projections. Le partenaire est occasionnellement décrit avec réalisme dans la Maison sept (le signe qui se trouve dans le descendant étant le Soleil du partenaire, qui est probablement en conjonction avec le Soleil lui-même). Cependant, si, par exemple, Uranus a élu domicile dans la Maison sept et que le sujet est marié, mais ni à un Verseau ni à un sujet fortement uranien, alors cette position symbolise le besoin de liberté de l'individu dans sa relation avec l'autre, car il est probable que le partenaire soit un esprit fort.

L'union des planètes se trouvant dans la Maison sept et les signes qu'elles occupent décrivent la qualité des rapports qui sont recherchés de même que le type de personnes à rechercher pour réaliser le potentiel individuel. Les aspects de ces planètes soulignent la facilité ou la difficulté qu'il y a à entrer en rapport avec autrui et à atteindre l'harmonie et l'accomplissement dans le cadre des relations de couple. Parfois, aucune planète ne se trouve dans la Maison sept, ce qui ne signifie pas que l'individu n'a aucune relation ou encore que les relations n'ont aucune importance pour lui. Pour explorer cette zone, nous devons alors déterminer la position du maître du signe sur la cuspide et dans les aspects de la Maison sept.

Bien que la Maison sept soit traditionnellement la zone qui traite des rapports individuels, la Maison huit a elle aussi un rôle à jouer ici. Cette dernière Maison, en tant que prolongement de la Maison sept et en opposition à la Maison deux, indique les bénéfices que le sujet peut escompter retirer des rapports humains. Cela peut bien sûr signifier des bénéfices financiers (ainsi, l'idée d'héritage associée à la Maison huit) et "l'avoir d'autrui" (par rapport à l'argent qui est le fruit de nos efforts et qui est symbolisé par la Maison deux). La Maison huit est gouvernée par le couple Scorpion/Pluton et symbolise les aspects cachés de la vie: mort et renaissance, transformation. Elle concerne également beaucoup les questions sexuelles (habituellement dans le cadre marital). Dans la mesure où la Maison deux concerne les sentiments et les possessions, dans la même mesure la Maison huit représente les sentiments et les possessions en rapport avec les associations humaines. On constate ce qui arrive quand les sentiments sont trahis dans une association: un amer échange de possessions! Les planètes ayant élu domicile dans la Maison huit peuvent donc être très révélatrices des rapports humains et on devrait noter ce point avec attention. En effet, en l'absence de planètes dans la Maison sept, une planète dans la Maison huit est susceptible d'éclairer la question des rapports humains.

Si on considère que l'horoscope représente l'individu en son entier, on peut établir un intéressant parallèle avec ce mythe qui décrit l'origine céleste de l'homme: d'après le *Timée* de Platon, les premiers hommes étaient androgynes (possédant à la fois des attributs mâles et femelles), avaient quatre bras et quatre jambes. Ils étaient incroyablement forts mais leur puissance croissante constituait une menace pour les dieux, qui les sectionnèrent en deux parties. Ainsi, chaque partie passait sa vie à rechercher l'autre, abandonnant les dieux à leur destin. Cette conception est très proche de l'idée d'une âme soeur ou encore de l'équilibre idéal et de l'harmonie recherchés par l'homme, élément qui, en fait, est une partie de lui-même.

Un grand nombre de personnes espèrent trouver leur âme soeur (particulièrement ceux qui ont un ascendant ou un descendant gouverné par Neptune) et parfois, très occasionnellement, ils la trouvent. Mais, en général, une grande partie de cette "recherche de l'âme" est consacrée à la poursuite de l'union idéale.

Les rapports entre ascendants et descendants sont d'une importance capitale pour la comparaison de thèmes. Les planètes d'un sujet venant en contact avec l'ascendant ou le descendant du thème d'un autre sujet mettent en relief la partie de lui-même qui est la plus sensible et la plus personnelle. Sans un contact quelconque de la part de l'ascendant ou du descendant, il est peu probable que la relation se poursuive longtemps ou ait un sens très défini. En effet, cet axe ascendant/descendant constitue habituellement l'élément moteur essentiel de l'attirance initiale entre deux individus. (En ce qui touche ma propre expérience, je me sens souvent attirée par un individu après avoir assisté à un rassemblement: on semble tous deux "aller ensemble". Immanquablement, je découvre plus tard que cette personne a des liens avec mon ascendant ou mon descendant ou vice versa.) Si aucun aspect n'apparaît dans cet axe ou n'est associé au maître de l'ascendant ou du descendant, il devrait exister un lien quelconque avec le Milieu-du-ciel ou le Fond-du-ciel.

On parle peu en synastrie de l'axe Milieu-du-ciel/Fond-du-ciel (MC/FC); cependant, j'ai trouvé dans le cadre de mes recherches de nombreux couples ayant d'importants contacts entre leurs Milieux-du-ciel ou leurs Fonds-du-ciel. Le Milieu-du-ciel, en tant que cuspide de la Maison dix, représente non seulement nos buts et nos ambitions dans la sphère professionnelle, mais la poursuite d'une image idéale de nous-mêmes. C'est ainsi que, souvent, nos choix sont influencés par la façon dont nous croyons qu'une relation reflétera nos idéaux. De sorte que, si les planètes d'un natif affectent notre MC, nous serons tentés de leur laisser faire le travail à notre place, pensant ne pas pouvoir le faire nous-mêmes. D'ailleurs, dans de nombreuses unions où les points de contact au MC sont importants, le partenaire contribue souvent de façon très significative à la carrière de l'autre (ou nuit à sa carrière, tout dépendant des aspects et des planètes en cause).

L'axe MC/FC peut aussi symboliser les parents. Le MC, associé à Saturne, indique le contrôle et le conditionnement exercés par les parents (habituellement le plus dominant et influent), et leur rôle dans la formation de nos ambitions. Le FC, avec ses associations lunaires, symbolise notre sentiment d'appartenance à nos parents et la formation des modèles émotionnels (encouragée par celui des parents qui offrait le plus de support et d'amour). Ainsi, la facilité ou la difficulté avec laquelle s'exerce l'influence parentale (telle que l'indique l'axe MC/FC) se reflète souvent dans la vie adulte au niveau des relations amoureuses. Or, la recherche d'une figure parentale s'observe souvent dans les contacts MC/FC du couple. Alors que le MC s'inscrit dans l'hémisphère supérieur (conscience, objectivité) et le FC dans l'hémisphère inférieur, les contacts au FC affectent fondamentalement le comportement affectif de l'individu.

De toute évidence, si un aspect est formé avec le MC, le FC est impliqué par le fait même, de sorte qu'une conjonction au MC devient une opposition au FC; un sextile au MC devient un trine ou trigone au FC. Comme pour l'ascendant et le descendant, le premier procède d'une conscience aiguë de soi-même alors que le second est plus inconscient.

Une autre indication d'une relation significative est quand il se produit une interaction entre l'axe MC/FC d'un couple et l'axe ascendant/descendant, car l'axe ascendant/descendant d'un conjoint reflète (par échange) l'axe MC/FC de l'autre. Les angles formant la croix sur laquelle pivote le graphique zodiacal sont, en synastrie, d'une importance capitale; à moins que ces points n'apparaissent dans une comparaison de thèmes, il est peu probable que la relation soit très profitable aux conjoints. En fait, les quatre angles d'un horoscope peuvent être comparés à un arbre, le MC symbolisant les branches qui s'étendent vers l'infini, le FC, les racines qui s'enfoncent profondément dans la terre, et l'ascendant, de même que le descendant, les branches horizontales qui donnent l'équilibre et permettent de grimper.

Le Soleil

Dans une carte du ciel, le Soleil symbolise l'expression individuelle et l'ardent besoin de se créer une identité. Toutefois, il arrive souvent que celui qui veut transcrire en termes simples les caractéristiques du signe solaire perde de vue son véritable principe. Comme le Soleil est au centre du système solaire, soutenant et illuminant les planètes, il symbolise ici notre motivation fondamentale, notre *modus operandi*. La position du Soleil (d'après le signe, la Maison et les aspects) influe sur la forme de nos relations avec les autres principes planétaires. Chaque individu libère le potentiel solaire dans chaque aspect de sa vie, encore que l'implication des autres planètes rende cette expression individuelle légèrement différente pour chacun. Dans le symbolisme astrologique, le Soleil exprime notre plus grand potentiel et, en fait, sa position dans chaque signe symbolise le besoin d'exprimer, de façon aussi créatrice que possible, notre nature fondamentale.

Les premiers hommes discernaient dans le Soleil la source de toute vie et le vénéraient comme un dieu. Il prit le nom de Père ou de Héros divin. En vérité, le Soleil, en astrologie, est le grand principe masculin, symbolisant le père, l'époux et les notions de masculinité. Par conséquent, ce principe s'exprime plus consciemment dans l'horoscope d'un homme. Celui-ci est conscient à un âge relativement jeune du besoin d'exprimer sa domination alors qu'une femme peut préférer adopter un rôle plus soumis, trouvant dès lors sa réelle identité dans une relation qui reflète les caractères du partenaire masculin. Ainsi, dans la carte du ciel d'une femme, le Soleil se projette souvent à travers l'homme de sa vie, ce dernier exprimant (consciemment) ce qu'elle choisit (inconsciemment) de ne pas faire. Il va de soi qu'à notre époque d'émancipation féminine les femmes vivent moins par procuration. Nombreuses sont celles qui relèvent le défi d'une carrière exaltante et commencent par conséquent à exprimer leur "énergie" solaire à leur façon, avec dynamisme et énergie.

La position du Soleil dans la carte du ciel d'une femme peut donner à l'astrologue une bonne idée des attributs qu'elle recherche dans un homme. Bien qu'il soit hasardeux par exemple d'affirmer que toute femme Bélier a besoin d'un homme Bélier pour réaliser le potentiel de son signe solaire, il n'en est pas moins vrai que les principes symbolisés en l'occurrence par le Soleil dans le Bélier représentent les attributs dominants recherchés chez un homme.

Le Soleil dans la Maison sept

Quand le Soleil élit domicile dans la Maison sept, l'individu risque de donner une très grande importance aux rapports humains. Son expression individuelle peut s'accroître par suite de ses rapports avec autrui, encore que si d'autres facteurs dénotent une nature fondamentalement peu affermie, le sujet risque de ne pouvoir refléter que les opinions et les traits de personnalité d'autrui — c'est la condition classique de la projection de ses propres attributs sur autrui. Nombreux sont les manuels d'astrologie traditionnelle suggérant que le Soleil dans la Maison sept indique "un mariage heureux". Cependant, ce ne sont pas tous les individus ayant le Soleil dans la Maison sept qui se marient, et, même s'ils se marient, le mariage n'est pas toujours heureux. Le Soleil indique sans doute ici qu'il y a un désir fondamental de trouver un compagnon qui ajoutera un élément d'équilibre et que l'individu ressentira un manque dans sa vie jusqu'à ce que ce partenaire soit trouvé. Mais, contrairement à certaines opinions voulant que le Soleil présage un heureux mariage, ceci peut vouloir dire, à cause de la tendance à rechercher la relation parfaite, qu'il y aura quelques rencontres amoureuses (qui ne donneront pas lieu nécessairement à un mariage) avant l'apparition du partenaire définitif (particulièrement si Uranus forme différents aspects avec le Soleil, la Lune ou Vénus).

Un sujet ayant le Soleil dans la Maison sept vantera sans doute les mérites et l'importance de l'harmonie dans les rapports humains. Même si lui-même ne se marie pas, il peut devenir conseiller matrimonial ou postuler un emploi où il cherchera activement à créer des liens entre individus.

Si le Soleil se lève dans un thème de nativité (en conjonction avec l'ascendant ou dans la Maison un), le natif a une personnalité dynamique, tandis que si le Soleil se couche (en conjonction avec le descendant et dans la Maison sept), l'individu sera probablement attiré par les fortes personnalités. Dans ce cas, après un certain temps, le natif peut trouver frustrant de vivre dans l'ombre du partenaire et des difficultés surgiront. Il a besoin de connaître son potentiel individuel et, plutôt que de laisser le partenaire l'éclipser, il doit affirmer sa propre individualité. L'individu qui prend conscience de cela risque d'aller à l'autre extrême et de vouloir faire à sa tête à tout prix afin de se reprendre. Avec le Soleil dans la Maison sept, le natif doit "partager la vedette", faire des compromis et agir en complémentarité. En vérité, cette position du Soleil indique une aptitude à acquérir le véritable équilibre de la Balance au sein des relations humaines.

La Lune

Les contraires sont présents partout en astrologie, comme ils le sont en fait dans la vie. On peut considérer les axes ascendant/descendant et MC/FC en tant qu'oppositions polaires; avec les planètes, il y a aussi des paires de "forces" opposées. Le Soleil et la Lune constituent une telle paire; en fait, ils symbolisent le principe mâle/femelle lui-même et c'est pourquoi on doit porter une attention particulière à ces deux astres dans le thème de nativité. Stephen Arroyo, dans son livre *Astrology, Karma and Transformation*, exprime l'intéressante opinion suivante: "Vus de la Terre, le Soleil et la Lune ont une dimension semblable, symbolisant l'égale importance que ces deux corps célestes devraient avoir dans nos vies."

Pour les Anciens, la Lune était une déesse (habituellement de la fertilité): elle était l'archétype féminin — la Déesse-mère. L'aspect changeant de la lune devint synonyme des émotions fluctuantes et du comportement inconséquent de la femme (reflétant son cycle mensuel). Dans le thème de nativité, la Lune symbolise les émotions, la réponse inconsciente et les figures féminines telles la mère et l'épouse. Elle représente en outre le passé, nos origines et la façon dont nous agissons instinctivement sans besoin de rationalisation.

Comme la Lune symbolise le principe féminin, elle tend à prendre une plus grande importance que le Soleil dans la nature de la femme (comme nous l'avons vu dans la section précédente). En fait, je constate que de nombreuses femmes s'identifient davantage au signe de la Lune qu'à celui du Soleil. Dans l'horoscope d'un homme cependant, l'influence de la Lune peut être éclipsée par la manifestation solaire, de sorte que nombre de ses caractéristiques lunaires décriront plus particulièrement les femmes de sa vie, en particulier sa mère, mais également l'épouse.

Le Soleil et la Lune représentent respectivement l'être intérieur et extérieur de l'individu. On pourrait également dire que le Soleil (l'expression consciente) nous indique "où nous allons" tandis que la Lune (l'expression inconsciente), elle, nous indique "d'où nous venons". Le contact entre le Soleil et la Lune acquiert donc une très grande importance en astrologie, que ce soit par rapport à un thème de nativité ou à une comparaison de thèmes. Les signes et les aspects harmoniques témoignent d'une association facile entre ces deux idées, tandis que des signes et des aspects en opposition signalent que la personne devra faire beaucoup d'efforts pour réaliser un heureux équilibre au sein de sa propre individualité. Par conséquent, si une personne ne peut réunir ces deux principes, elle aura de la difficulté à le faire dans le cadre (extérieur) du mariage. Un aspect harmonique entre le Soleil et la Lune (particulièrement si ces deux derniers sont dans des signes compatibles) peut l'emporter sur des aspects par ailleurs néfastes. Ceci ne veut pas dire que les autres aspects néfastes n'ont plus aucune importance, mais plutôt que l'individu a de la sorte plus de chance de réaliser un équilibre dans sa vie. L'union Soleil/Lune souligne l'expérience parentale qui modèle fortement la propre interaction mâle/femelle du sujet. Ainsi, si le sujet a une relation positive avec son père et sa mère, les considérant comme des gens équilibrés qui appuient les entreprises d'autrui (même s'ils ne vivent plus ensemble), cela augmente ses chances de relations heureuses à l'âge adulte.

La Lune dans la Maison sept

Les natifs ayant la Lune dans la Maison sept recherchent la sécurité affective. Ils s'attendent à un amour et à une acceptation inconditionnels en dépit du fait qu'ils attirent des partenaires qui jouent sur leur émotivité et qui ont tendance à les étouffer et à les surprotéger. La Lune symbolisant la mère (entre autres choses), les individus ayant la Lune dans la Maison sept sont portés à s'engager dans des relations où ils recevront une attention maternelle ou encore dans laquelle ils prodigueront eux-mêmes une attention maternelle — et parfois un peu des deux.

La position de la Lune dans la Maison sept peut s'avérer assez complexe. D'une part, si la Lune bénéficie d'aspects harmoniques, l'individu aura probablement d'heureuses relations sur le plan affectif, mais, d'autre part, si elle forme des aspects discordants, l'individu fera sans doute face à de nombreux problèmes senti-mentaux, ainsi qu'à des bouleversements et des changements dans cette dimension de son existence. À cause de la nature inconsistante de la Lune elle-même, les relations risquent de se modifier cons-tamment et de répondre à toutes sortes de flux et reflux émotifs. Comme la Maison sept est une zone à forte tendance projective, la Lune (symbolisant des modèles instinctifs inconscients) peut faire croire au sujet qu'il n'arrive pas à s'accommoder des rapports humains.

Ces natifs désirent invariablement se marier tôt. Cependant, si la Lune avait des aspects discordants, cela se traduirait plutôt par des délais et une répugnance à amorcer des relations affectives. Parfois cette réaction est reliée à une expérience malheureuse dans l'enfance et à des problèmes affectifs avec la mère.

Du côté positif, la Lune dans la Maison sept invite le sujet à porter une grande attention aux humeurs et aux sentiments d'autrui, ce qui n'est pas sans favoriser en général les relations intimes.

Mercure

On sous-estime trop souvent Mercure. Dans la mythologie, Mercure était le messager des dieux, transmettant connaissances et information, non seulement parmi les dieux, mais des dieux aux hommes. Pour l'astronomie, Mercure est la planète la plus rapprochée du Soleil; d'une façon symbolique, on peut la considérer comme l'intermédiaire entre le Soleil et toutes les autres planètes. La communication sous toutes ses formes, que ce soit dans le domaine de l'écrit, de la parole ou de l'aéronautique, est du ressort de Mercure. Cependant, l'importance de la communication ne peut être saisie que si on considère que l'impossibilité de communiquer nos idées à autrui, ou même de se transporter d'un endroit à un autre, nous confinerait à une absence de stimulation, à l'isolement et à l'atrophie mentale.

La fonction de Mercure est de permettre la perception, la compréhension et la communication des idées. En fait, c'est l'aptitude de l'homme à la conceptualisation qui fait de lui un être à part, de sorte que, pour diverses raisons, Mercure est un don des dieux. En synastrie, on ne peut certes surestimer l'importance de la communication: seul l'échange peut résoudre les problèmes surgissant entre individus.

Mercure n'est ni féminine ni masculine; cette planète est abstraite et asexuée. (Ceci ne veut pas dire bien sûr que les Gémeaux sont asexués mais que c'est le principe mercurien qui l'est.) On décèle le tempérament mercurien dans ces individus qui jamais ne peuvent être circonscrits, que ce soit mentalement ou physiquement, et dont le tempérament rappelle celui de l'éternel enfant Peter Pan.

Mercure dans la Maison sept

Les gens qui ont Mercure dans la Maison sept recherchent habituellement des relations humaines qui les stimulent mentalement. Parfois le partenaire est du type mercurien, Mercure (ou les Gémeaux ou encore la Vierge) dominant dans l'horoscope. Parfois, le partenaire pourra être très impressionnable et même souffrir d'une instabilité mentale (particulièrement dans les cas d'in-

76

fluences uraniennes ou mercuriennes). Initialement, l'attrait viendra de la créativité mentale du partenaire, de son amitié et de ses idées stimulantes. Le sujet recherchera peut-être un partenaire intellectuel afin de compenser des aptitudes qui n'ont pas été développées. Mercure dans la Maison sept indique également que l'individu a un constant besoin de variété et de changement dans ses relations, de sorte que Mercure dans cette position n'est pas le meilleur indicateur de rapports durables.

Peut-être à cause des attributs d'éternelle enfance rattachés à cette planète, le natif a parfois un partenaire beaucoup plus jeune que lui. Cependant, l'influence habituelle de Mercure concerne en l'occurrence le tempérament du partenaire et, en certains cas, son implication dans des domaines tels que le journalisme ou l'éducation, qui sont tous deux typiques de Mercure.

Comme nous avons vu, même si la tendance est à la projection sur le partenaire, Mercure dans cette Maison détermine chez le natif une aptitude non seulement à percevoir autrui mais à se percevoir lui-même. C'est ainsi qu'à travers son implication avec autrui il est susceptible de venir en contact avec plusieurs niveaux de son propre être, ce qui ne fera qu'accroître son niveau de conscience.

Vénus

Dans les sections traitant du Soleil et de la Lune, nous avons vu le fonctionnement du principe mâle/femelle. Nous avons un couple identique chez Vénus et Mars. D'une certaine façon, Vénus et Mars représentent davantage le drame dynamique de la dyade mâle/femelle et les forces physiques et particulièrement sexuelles mises en cause dans une relation.

Dans la mythologie, Vénus était la déesse de la beauté et de l'amour. Dans un thème de nativité, Vénus symbolise l'aptitude à apprécier la beauté et la façon que nous avons de la susciter; elle représente également la manière dont nous exprimons l'affection et amorçons les relations. Dans un thème féminin, Vénus représente pour une grande part l'expression de la féminité du sujet et est d'une importance vitale pour déterminer la valeur de son expérience au niveau des relations. Dans le thème d'un homme, Vénus symbolise toutes les qualités qui viennent d'être mentionnées bien que, très souvent, ces qualités soient projetées sur la femme convoitée. De sorte que le signe, la position dans les Maisons et les aspects de Vénus dans un thème masculin indiquent le type de femme à rechercher afin de réaliser le potentiel inscrit dans l'horoscope.

Même si la Lune et Vénus sont toutes deux des planètes féminines, elles sont légèrement différentes l'une de l'autre. De par sa nature, la Lune a une dimension qui est davantage spirituelle, ce que Vénus n'a pas. Dans le thème d'un homme, la Lune représente le besoin de ce dernier d'avoir un rapport profond avec une femme, tandis que Vénus symbolise sa beauté immédiate. Dans le thème d'une femme, la Lune représente son essence propre et Vénus, la façon dont elle joue son rôle de femme. Peut-être que la meilleure façon d'expliquer cette différence serait de considérer les deux mots grecs: *agape* et *eros*. Les anciens Grecs distinguaient nettement deux particularités amoureuses. Les liens plus spirituels s'établissant entre un père et son fils ou entre deux grands amis avaient pour nom *agape*, nom qui signifiait à l'origine l'amour entre les dieux et les hommes et vice versa. L'amour physique, avec ses fréquentations, ses plaisirs et ses aspects rituels, était connu sous le nom d'*eros*, qui a donné lieu au qualificatif *érotique*. Toutes les relations cependant ne procèdent pas que de la notion d'*agape*. C'est d'abord l'action de Vénus (éros) qui se fait sentir dans une relation de couple, action qui est ensuite renforcée (ou non, selon le cas) à travers une expression qui découle de la nature lunaire (*agape*). C'est souvent lors de cette transition que la relation s'écroule.

Si Vénus forme un aspect faible dans le thème de nativité, il sera sans doute difficile de trouver le bonheur et l'accomplissement au sein de la relation. Dans le thème d'une femme, des aspects néfastes à Vénus (particulièrement s'ils originent de Saturne et d'Uranus) indiquent qu'elle risque d'avoir de grandes difficultés à assumer son rôle féminin.

Vénus dans la Maison sept

C'est traditionnellement la meilleure position de Vénus. Elle gouverne naturellement la Maison et possède donc une très grande force. Les gens qui ont Vénus dans la Maison sept recherchent les relations heureuses. Ils attachent beaucoup de prix à l'apparence de la relation aux yeux du monde — le sujet veut que les rapports du couple paraissent sans failles. Cependant, ce natif risque d'être tellement préoccupé par la réalisation de l'idéal amoureux que de légères imperfections et de petits incidents sont susceptibles de s'amplifier, minant petit à petit la relation.

Bien que Vénus dans la Maison sept puisse désigner un partenaire doté de beauté physique et de grâce dans ses rapports avec autrui, il n'est pas certain que la relation sera sans heurts. Si Vénus forme un aspect faible (particulièrement avec la Lune, Saturne, Uranus, Neptune et Pluton), cela peut signifier des frustrations, des désappointements et des revers dans les relations, ou même que le partenaire deviendra cause d'embarras pour le sujet.

Parfois le natif s'attend à ce que le partenaire s'engage à maintenir l'harmonie à sa place, en sorte que c'est trop souvent ce dernier qui doit s'excuser ou apaiser l'autre. Cependant, si Vénus est bien située et si d'autres facteurs positifs se manifestent, les conjoints auront toutes les chances de vivre une relation harmonieuse et mutuellement profitable.

Mars

Tout comme le Soleil, Mars est masculin mais il représente davantage l'homme considéré au plan strictement physique. Les Anciens, à cause de la teinte rouge de Mars, la percevaient comme une planète en flammes; dans la mythologie, Mars était le dieu de la guerre. Du point de vue astrologique, Mars symbolise l'énergie dynamique, créatrice. À l'opposé de Vénus, largement passive, recherchant l'amour et l'harmonie, Mars recherche la compétition, le défi et l'action. Si Vénus nous montre notre aptitude à susciter la beauté et l'harmonie, Mars désigne l'affirmation de soi de même que la découverte et la satisfaction de nos désirs. Mars symbolise l'énergie physique et sexuelle et nous montre avec quelle facilité et de quelle manière les passions naissent.

Le rôle traditionnel de la femme est plus passif (davantage sous l'influence de Vénus) qu'aujourd'hui et, bien que Mars puisse apparaître dans le thème de toute femme, sa nature dynamique et agressive trouve en l'homme un "exutoire" plus approprié. C'est ainsi que dans un thème féminin (d'après le signe, la position dans les Maisons et les aspects), Mars est très révélateur du type d'homme recherché. Mars et le Soleil peuvent tous deux être masculins mais, tout comme la Lune et Vénus, ces planètes s'avèrent de natures légèrement différentes. Le Soleil représente la nature foncière de l'homme — son individualité. Mars indique chez lui une expression plus physique, plus extériorisée. Si Mars forme un aspect faible dans un thème d'homme, celui-ci peut avoir de la difficulté à assumer son rôle masculin (particulièrement si Mars forme un carré ou une opposition avec Saturne et avec Neptune). Ainsi, la position de Mars dans un thème masculin peut fournir beaucoup d'informations à l'astrologue sur la façon dont le sujet assume son rôle dans le cadre de la relation.

Mars dans la Maison sept

Mars dans la Maison sept risque de faire problème. La nature combative de Mars dans une Maison éminemment pacifiste rappelle le proverbial éléphant (ou plutôt le Bélier, en l'occurrence) dans un magasin de porcelaine. Dans les relations, ce natif recherche l'exaltation et le défi. Si un conjoint a Mars dans cette position, la compétition peut surgir au sein du couple, ou encore, un conjoint peut se sentir dominé par l'autre et se croire obligé de répliquer à la moindre provocation.

Par contre, Mars dans la Maison sept peut indiquer que le sujet désire plutôt s'affirmer à travers le partenaire; par conséquent, il pourrait souvent pousser l'autre à agir à sa place. La nature de Mars s'oppose fondamentalement à la paix et à l'harmonie de sorte que ce natif cherchera à susciter des situations et des questions explosives simplement pour créer un climat plus stimulant.

Le partenaire sera du type martien (Mars ou le Bélier apparaîtra clairement dans le thème) ou aura une carrière associée aux attributs martiens, peut-être au sein des forces armées ou dans les sports.

Toutefois, ces tendances à la compétitivité et à l'argumentation risquent de dégénérer en agression ouverte. Les individus chez qui Mars forme un aspect faible dans cette Maison peuvent être particulièrement portés à la violence dans le mariage et, en fait, à susciter une certaine friction dans la plupart des rapports humains. Le natif doit prendre conscience de sa force et arriver à trouver son indépendance, à défaut de quoi différends et discordes peuvent s'immiscer dans les rapports.

Jupiter

Symbolisant l'énergie individuelle, le Soleil la Lune, Mercure, Vénus et Mars sont considérés comme des planètes personnelles. À partir de Mars, nous avançons dans une sphère moins personnelle où l'homme entre en contact avec des "forces" supérieures.

Jupiter est la plus importante planète du système solaire. Dans la mythologie, Jupiter (Zeus dans la mythologie grecque) était le roi des dieux; dans le symbolisme astrologique, Jupiter possède un attribut certes plus grand que nature. On l'appelle également la *Fortune majeure* (Vénus étant la *Fortune mineure*) et on pense qu'elle exerce une influence excessivement bénéfique dans un thème. Expansion est le mot clé associé à cette planète; il représente bien les principes de magnanimité et de philosophie qui lui sont associés. Cependant, cette planète symbolise aussi les excès; c'est le côté moins plaisant de sa nature. Mais par-dessus tout, Jupiter symbolise la croissance, facteur que l'on peut considérer de deux façons. En premier lieu, cela peut signifier la croissance financière, la puissance, voire la gloire. En deuxième lieu, on peut parler d'un accroissement de la connaissance, de la conscience et de l'amour de la philosophie et de la religion.

Bien que certains astrologues aient une perception assez défavorable de Jupiter (appuyant fortement sur ses tendances excessives, extravagantes), il est certain qu'une personne privée de ses attributs n'aura pas la volonté d'élargir ses horizons.

S'il existe des points de contact au niveau de Jupiter entre deux thèmes astrologiques, ils influenceront tous les rapports entres les deux sujets. Ils témoigneront du bonheur des partenaires d'être ensemble, car sans plaisir et sans sentiment d'harmonie, il est peu vraisemblable que la relation se poursuive sur des bases solides. Si

Jupiter forme des aspects (ou des conjonctions) harmoniques avec les planètes ou les angles attribués à un autre sujet, cela peut constituer un très grand stimulant pour le natif et faire ressortir le meilleur de lui-même. Même les aspects les plus contraignants peuvent constituer un renforcement positif de la relation, mais ils peuvent aussi en faire ressortir de façon accentuée les aspects négatifs.

Jupiter dans la Maison sept

Comme pour Vénus dans la Maison sept, Jupiter est un signe favorable à d'heureux rapports humains. La nature expansive de Jupiter peut jouer favorablement sur plusieurs niveaux d'une relation. Parfois, le natif a un partenaire excessivement riche et important. Parfois, ce dernier est généreux, honorable et philosophe, et, certaines fois, il possède toutes ces qualités à la fois. Toutefois, si Jupiter forme un aspect faible, les qualités moins désirables de cette planète s'immisceront dans les relations. Ainsi, le sujet peut se rendre compte qu'il s'associe à des individus extravagants, à qui on ne peut faire confiance. Il se pourrait parfois que Jupiter dans la Maison neuf indique un partenaire dominant, à forte personnalité, et qui est porté à faire des remarques très cruelles sous l'emprise de la colère. Comme nous l'avons vu avec d'autres planètes dans la Maison sept, même si les qualités d'une planète particulière appartiennent à l'individu, la plupart du temps elles ont tendance à être projetées sur autrui. Jupiter favorise les relations avec des gens représentant la sagesse, la foi et la largesse d'esprit. D'une certaine façon, tout comme celle dont le Soleil se trouve dans la Maison sept, la personne peut se sentir supplantée par le partenaire et ressentir le besoin de redécouvrir ses attributs jupitériens.

Une croissance individuelle et conjointe, la sagesse et la compréhension à travers les rapports humains, voilà les facteurs les plus importants pour ce natif.

Saturne

Saturne est la planète qui suit Jupiter et son symbolisme est presque à l'opposé de celui de cette dernière. Tout comme le

Soleil et la Lune ou Vénus et Mars, elles forment un couple planétaire.

La tradition donne à Saturne le nom de *Maléfice majeur* (Mars étant le *Maléfice mineur*); comme le dit son nom, cette planète n'est pas que douceur et lumière. Cependant, la valeur astrologique de Saturne s'est considérablement modifiée au cours de la dernière décennie. En effet, en 1981, le vaisseau spatial Voyager II nous permit pour la première fois d'avoir une vue d'ensemble de cette magnifique planète. Les curieux anneaux qui l'entourent, constitués de milliers de minuscules particules et de centaines de rubans, en accentuent le mystère; il reste donc encore aux astrologues à en découvrir toute la richesse symbolique. Bien loin d'entretenir la crainte mortelle des anciens astrologues vis-à-vis Saturne, les praticiens d'aujourd'hui la considèrent comme la clé de la découverte personnelle, le pont entre un niveau de conscience et un autre.

Dans un thème de nativité, on doit porter une grande attention à cette planète. Ses principes expliquant la limitation et la frustration, tellement familiers à l'étudiant, n'ont presque pas de sens jusqu'à ce qu'ils soient perçus comme partie de la nature très complexe de Saturne. Dans la mythologie, Cronos (Saturne) était la divinité qui poussa les Parques à agir, et, après avoir mutilé son père Ouranos (Uranus), il partit seul régner sur le monde en formation. Il est difficile de saisir la signification de Saturne dans un thème de nativité si on ne considère pas les notions de destin et de karma. Les blocages et les difficultés de nos vies sont souvent reliés aux aspects de Saturne au sein du thème natal. Si nous considérons qu'une partie du sens et du but de la vie réside dans sa conciliation avec nos actions (passées et présentes) et si nous souhaitons devenir davantage conscient, nous devons alors tenir compte de Saturne et de son symbolisme.

Fixation, structure et discipline personnelle décrivent également les attributs de Saturne. Ce sont des attributs essentiels à la croissance mais différents de ceux qui procèdent de l'action expansive et débordante de Jupiter. Trop de discipline personnelle et une adhérence trop grande à des modes de vie éculés peuvent cependant mener à la rigidité, à l'intolérance et à l'isolement.

Saturne symbolise non seulement ce qui est difficile à atteindre mais également ce qui risque à nos yeux de nous atteindre. En ce sens, on associe Saturne à l'"ombre" de Jung: les choses que nous réprimons parce qu'elles ne se conforment pas à notre image personnelle (si elle n'a pas été reconnue) émergent à la surface sous la forme la plus négative et sont prêtes à être projetées sur autrui. Dans l'esprit d'un enfant, la nuit est pleine d'images fantastiques, de monstres et de vampires qui s'évanouissent dès que la lumière revient. On peut établir un parallèle semblable avec Saturne: l'action de la lumière représente la conscience des attributs symbolisés par cette planète, leur compréhension plutôt que leur ignorance (ou leur projection). Ainsi, plutôt que de manifster la frustration, Saturne peut montrer la voie et éclairer l'individu sur les mystères de son âme.

S'il existe des points de contact au niveau de Saturne dans les thèmes astrologiques des conjoints, cela assure pérennité et sens à la relation. En fait, le mariage lui-même est une institution fortement saturnienne reconnue par la loi et qui reflète la responsabilité réciproque des conjoints tout en constituant un élément fondamental de la structure sociale. Ainsi, même si des aspects néfastes de Saturne peuvent indiquer de la frustration et des blocages au sein du couple, ces difficultés sont également susceptibles de le faire progresser considérablement et d'accroître la compréhension mutuelle. Si les conjoints gardent l'esprit ouvert et sont honnêtes avec eux-mêmes et l'un envers l'autre, Saturne peut les unir par la compréhension plutôt que les aliéner par le ressentiment, la froideur et la division.

Saturne dans la Maison sept

Il n'est jamais facile d'interpréter la présence de Saturne dans la Maison sept, ce qui ne veut pas dire que cela ne puisse être positif ou ne soit pas profitable. Comme nous l'avons vu dans la description de cette planète, elle symbolise les leçons apprises en vue d'atteindre à une plus grande conscience individuelle. Ces leçons procèdent de l'expérience des relations individuelles. Dans les questions amoureuses, on peut faire fi des notions de devoir, de responsabilité, de limitation et de frustration. Toutefois, si on veut qu'une relation dure quarante ans, il est préférable que Saturne forme des aspects favorables.

Comme on l'a indiqué dans l'introduction, c'est à travers nos interactions avec les autres que nous pouvons nous percevoir et, comme l'"action" de Saturne est de nous rendre conscients de notre nature en son entier (particulièrement des aspects plus obscurs, plus cachés), la meilleure occasion de ce faire nous est fournie quand cette planète est "exaltée" dans la Maison sept.

Cette prise de conscience ne peut cependant se produire si des difficultés ne sont pas résolues dans la relation. Saturne dans la Maison sept peut indiquer que le sujet est attiré par un partenaire plus âgé que lui ou par une image du père (comme pour Eva Braun), et bien qu'il soit assez difficile de voir l'image du "père" incarnée dans une femme pour un thème masculin, Saturne dans cette Maison indique fréquemment l'attraction exercée par des femmes très énergiques, disciplinées et de tempérament "adulte". Parfois, le partenaire devient un fardeau pour le sujet (que ce soit par sa faiblesse ou par la contrainte qu'il impose), mais ce phénomène ne devrait pas se produire avant que la relation ne soit bien établie. Saturne peut aussi indiquer que le partenaire a une dominante Capricorne ou un Saturne très fort dans son propre thème natal.

Quand Saturne est dans la Maison sept, cela indique un besoin de sécurité, voire un manque d'assurance; donc, plus il y aura de sécurité au sens matériel, mieux ce sera. Cependant, la recherche effrénée de cette dernière dans le mariage se fait souvent aux dépens d'un véritable rapport affectif; la tendance de Saturne à la fixation se discerne à la façon dont le mariage emprisonne les individus.

Parfois le natif, par suite du manque de liens affectifs, ne souffre pas que de solitude mais aussi d'un éloignement physique, voire de la cruauté et de l'infidélité du partenaire. Parfois Saturne dans la Maison sept indique un mariage tardif ou peut-être une absence de mariage. Mais ce n'est pas *toujours* le cas. Saturne symbolisant ce que nous devons assimiler pour acquérir notre intégrité, l'expérience saturnienne est profitable. L'unique élément sûr est que les relations ne présentent jamais un caractère superficiel.

Dans la veine du cycle saturnien (2), de nombreuses leçons inhérentes à la position de Saturne dans la Maison sept nous sont communiquées vers la vingt-neuvième année de la vie. À ce moment, de nombreuses questions relatives aux rapports humains peuvent être résolues, à la condition que le sujet se rende compte qu'il peut les résoudre. Le degré de conscience ainsi acquis pourrait dispenser d'une répétition des événements. Pour ce qui est de l'assimilation de nos actions (passées et présentes), Saturne est susceptible de symboliser un lien karmique avec le partenaire, lien qui suppose un service rendu par le sujet ou un sacrifice quelconque consenti par celui-ci.

Même si cette position a des aspects favorables, elle exige de la part du sujet un certain apprentissage des rapports humains. Dans son ouvrage, *Saturn*, Liz Greene affirme que le sujet ayant Saturne dans la Maison sept est à la recherche de son intégrité et que ses relations intimes avec autrui "s'inscrivent dans ce processus de découverte de soi". Saturne, en l'occurrence, se rapporte à deux aspects: "Le conjoint peut devenir une source de souffrance ou une occasion magnifique d'évoluer."

Uranus

Jusqu'à la fin du dix-huitième siècle, Saturne était perçue comme la plus lointaine planète du système solaire. Par suite de la découverte d'Uranus en 1781, la perception astronomique se modifia radicalement, conformément à la tendance révolutionnaire de l'époque. Du point de vue astrologique, Uranus symbolise le changement, le bouleversement, le surgissement d'une conscience plus éveillée et le développement de facultés intuitives et intellectuelles. Comme pour les autres planètes transsaturniennes, sa thématique procède d'un niveau collectif plutôt qu'individuel, agissant sur la postérité plutôt que sur les individus, à moins qu'elle n'occupe une position forte au sein du thème de nativité.

Dans la mythologie, Uranus, roi des cieux, fut mutilé et détrôné par son fils Cronos (Saturne). Tyrannique, il gardait ses enfants terriens (les Titans) dans les profondeurs de la terre où ils

2. Saturne franchit le zodiaque en vingt-neuf ans en moyenne.

ne pouvaient voir la lumière. On peut établir un parallèle ici avec l'éveil à un plus haut niveau de conscience symbolisé par Uranus. L'effet de cet éveil sur l'homme serait foudroyant — il en serait aveuglé; c'est pourquoi il ne saurait être bénéfique à tous les hommes sans distinction. Par conséquent l'homme demeure dans l'obscurité de la matière jusqu'à ce que, guidé par Saturne, il atteigne un développement tel qu'il puisse apprécier les mystères de l'infini.

C'est à travers sa position au sein des Maisons et ses aspects par rapport aux planètes personnelles qu'Uranus acquiert une valeur plus individuelle. Une personne à caractère fortement uranien a besoin d'une liberté absolue d'expression — d'où la valeur occulte de cette planète en tant qu'octave supérieure du Soleil. Les types uraniens abhorrent la domination d'autrui, la routine ou les conventions, de sorte que certains sont des inventeurs géniaux tandis que d'autres jouent les Don Quichotte.

Des forces uraniennes se déclenchant entre partenaires peuvent signifier une attraction soudaine, irrépressible, mais à moins que les partenaires ne soient prêts à se laisser mutuellement toute la liberté voulue, cette énergie peut tendre vers l'égoïsme et détruire les relations prolongées.

Uranus dans la Maison sept

Dans la Maison sept, toutes les planètes supérieures constituent des "forces" difficiles à contrôler et à exprimer. Uranus, symbolisant l'absolue liberté et l'imprévisibilité, ne s'adapte pas très bien à la structure conventionnelle du mariage ou, à ce compte, à toute relation prolongée.

Ces natifs trouvent difficile de maintenir leurs relations à flot; brisures et séparations sont fréquentes. Parfois le sujet est attiré par des individus au tempérament bohème, qui se fichent des conventions et qui, plus tard, ficheront sa vie en l'air. Nous voyons encore ici la projection: le sujet est attiré par des partenaires à l'esprit aventurier et indépendant, parce que ce besoin n'est pas reconnu dans sa propre nature. Uranus peut également souligner ici un partenaire de type Verseau ou fortement uranien.

Ainsi que Saturne, Uranus dans la Maison sept peut donner lieu à diverses interprétations. Traditionnellement, cette position indique des prédispositions au divorce mais, bien que de nombreux natifs en fassent amèrement l'expérience, il n'en est pas *toujours* ainsi. Cette position indique en fait un désir de changement et un goût pour le bizarre (habituellement à forte dose), ce qui peut vouloir dire que le sujet (ou son/sa partenaire) recherche une plus grande excitation hors du cadre marital (Peter Sellers, Elizabeth Taylor, Yoko Ono et Margaret Trudeau, épouse de l'ex-premier ministre canadien, ont tous Uranus dans la Maison sept!) Il m'arrive fréquemment, dans le cadre de mon travail, de voir des sujets ayant Uranus dans cette position buter contre des difficultés dans leurs rapports à long terme. Pour reprendre le mythe d'Uranus et des Titans, disons que tant que la conscience individuelle ne sera pas suffisamment développée, la forte énergie d'Uranus aura tendance à agir sur le plan le plus perturbateur, causant beaucoup de tensions et rendant les rapports humains imprévisibles.

Uranus a cependant une autre face qui permet au sujet d'évoluer considérablement dans ses rapports avec autrui. Des aspects harmoniques propres à Uranus offrent un moyen facile de vivre selon les principes uraniens d'égalité et de liberté individuelle. Mais les aspects contraignants d'Uranus (particulièrement en provenance du Soleil, de la Lune, de Vénus et de Mars) peuvent déranger et même s'avérer difficiles à contrôler. Parfois, le sujet recherche un partenaire qui partagera son goût de "l'amour libre". Il pourra y avoir une grande différence d'âge ou le partenaire pourra venir d'un pays étranger (voire d'une classe sociale différente). Il aura peut-être été marié ou sa vie aura été très mouvementée. D'une certaine façon, cela reflète le bouleversement de la psyché même du sujet; en choisissant un partenaire qui se rit des conventions, il peut se défaire par procuration du carcan qui l'étouffe.

À l'occasion, cette position indique aussi qu'un partenaire évolue plus rapidement que l'autre, de sorte qu'il n'y a aucun moyen de maintenir la relation dans l'état où elle se trouve. Ainsi risque-t-elle de se terminer brusquement, laissant derrière beaucoup de sentiments amers et de ressentiment.

Par ailleurs, Uranus dans la Maison sept peut annoncer l'amorce d'une relation peu ordinaire, au cours de laquelle les partenaires entretiendront des rapports privilégiés et où, finalement, l'expérience qu'ils partageront stimulera leur croissance et leur conscience individuelles.

Neptune

Derrière Uranus, nous trouvons Neptune. Tout comme le Soleil et la Lune, Vénus et Mars et avant eux Jupiter et Saturne et Neptune forment une dyade mâle/femelle, Uranus représentant le principe mâle et Neptune le principe femelle. Neptune est la deuxième des planètes transindividuelles et sa découverte, en 1846, correspond au grand mouvement romantique et à la découverte de l'hypnotisme et du spiritualisme. Alors que dans la mythologie Neptune était un dieu mâle, il représentait en vérité des principes femelles. En astrologie, Neptune est perçue comme l'octave la plus élevée de la Lune (et au sein de certains enseignements, de Vénus), les deux étant de nature féminine.

Dans un thème de nativité, Neptune symbolise l'aptitude de l'homme à transcender ses limitations terriennes. C'est ainsi que Neptune devient la muse de l'artiste, l'inspiration du poète et la vision du mystique. Cependant, comme pour Uranus, ces vibrations supérieures ne peuvent être intégrées que difficilement au quotidien et, trop souvent, ce sont les propriétés néfastes de cette planète qui se présentent. Ainsi, ce grand désir de fuite et de transcendance de Neptune est susceptible de se manifester dans l'abus des drogues et de l'alcool ou dans la tendance à décevoir et à susciter le chaos et la confusion. Neptune a des affinités avec l'univers du cinéma et de la photographie. La notion d'images sur une pellicule cellulosique reflète la nature éphémère de Neptune; les images qu'elle suscite peuvent être perçues et des impressions rendues de telle façon que les sens et l'imagination sont fortement stimulés. Les "vibrations" neptuniennes sont les plus subtiles et les plus évanescentes de toutes. Une frontière fragile sépare la réalité du rêve, l'illumination de la déception; c'est ainsi que la plupart des gens trouvent difficile de s'accommoder des hauteurs neptuniennes.

Aux premières étapes de la relation, les "forces" neptuniennes se présentent souvent sous la forme du brouillard romanesque entourant l'être aimé, du sentiment de flotter dans l'air, de la perte d'appétit et de concentration. En temps et lieu cependant, la perception revient à son état normal et un sentiment d'ennui peut s'ensuivre.

Les contacts neptuniens entre conjoints démontrent, d'une part, le niveau d'empathie et de compassion partagé et, d'autre part, le niveau de déception tendant à miner la relation. Mais s'il est prudent et attentif, le sujet peut se laisser guider par Neptune vers des états perceptifs plus élevés et une véritable expérience spirituelle et mystique.

Neptune dans la Maison sept

Neptune dans la Maison sept peut être source de nombreuses difficultés et de confusion au sein des relations. Le natif est en quête de la relation idéale, celle qui procure un contentement physique et affectif et, par-dessus tout, une sorte d'union spirituelle. La projection est alors d'une importance primordiale. Le sujet se voit souvent mis sur un piédestal par le partenaire qui se rendra compte plus tard de sa méprise.

Le complexe martyr/sauveur joue également souvent. Le sujet peut être porté à vouloir "sauver" le partenaire ou l'aider à réaliser son potentiel, sacrifiant ainsi ses propres aspirations au profit de ce dernier. Parfois, le partenaire — à cause de sa faiblesse, d'une maladie chronique, voire de son alcoolisme — peut devenir entièrement dépendant du sujet. De cette façon, le sujet se "sacrifie" lui-même au profit de la relation.

Comme pour Saturne dans la Maison sept, les difficultés de Neptune ne surgissent pas au début de la relation. Habituellement, le sujet ne perçoit pas tout d'abord les défauts du partenaire et ce, parce que la projection de sa part est très importante. Quand, plus tard, la vraie personnalité du partenaire émerge à la surface, le sujet se sent délaissé, voire trahi par celui-ci. "Quand je songe que c'est lui que j'ai choisi!" ou "Comment peut-il avoir tellement changé", voilà des formules souvent utilisées par ce natif.

Parfois, bien sûr, le sujet est effectivement abandonné par le partenaire, Neptune dans cette position indiquant une tendance à être attiré par des partenaires auxquels on ne peut faire confiance et qui causent beaucoup de souffrance et de peine. À l'occasion, le partenaire peut fuir la relation sans raison apparente ou affirmer qu'il n'a jamais été heureux et qu'il entretient une animosité refoulée à l'égard du sujet. Ce natif risque toujours d'avoir une grande déception. Parfois, après un long engagement, des faits relatifs au passé du sujet émergent à la surface, laissant l'individu dans une grande prostration. Il peut arriver aussi, bien sûr, que le signe des Poissons soit en bonne place ou que Neptune ait une grande importance dans le thème du partenaire.

Saturne, Uranus, Neptune et Pluton dans la Maison sept symbolisent de la façon la plus heureuse et profitable la découverte de soi et l'évolution mentale et spirituelle. Les propriétés négatives de Neptune apparaissent souvent de façon claire au sein des relations; c'est peut-être que l'expérience authentique qui se présente ici ne se réalise pas sur le plan physique, l'union recherchée étant de nature mystique. C'est ainsi qu'au mieux Neptune permet à l'individu de trouver une âme soeur véritable, dont la rencontre suscitera un sentiment d'appartenance mutuelle et d'empathie à tous les niveaux. En général, cependant, on aura tendance à viser trop haut et à rechercher une perfection dans les rapports, perfection qui existe rarement dans la réalité. En un sens, l'aspiration inconsciente du sujet à atteindre un plan supérieur émane, à ses yeux, du partenaire; ainsi donc, si ce plan supérieur n'est pas atteint, le sujet se sent déçu et délaissé par l'autre.

Pluton

Pluton est la plus lointaine planète connue du système solaire. Sa découverte en 1930 a coïncidé avec la scission de l'atome, la Grande Dépression et l'avènement de la psychologie des profondeurs. Dans la mythologie, Pluton était le dieu des enfers et, bien qu'il fût une déité rapace qui inspirait la crainte, son royaume contenait de grandes richesses. On peut établir ici un parallèle astrologique: bien que les situations procédant de Pluton paraissent accablantes et traumatisantes, elles recèlent de grandes vérités et une grande finesse psychologique propres à enrichir mentalement l'individu. Du point de vue astrologique, Pluton symbolise la mort et la renaissance, l'élimination et la transformation. Les aspects qu'elle forme avec les planètes personnelles dans un thème de nativité permettent au sujet de trouver son énergie intérieure et d'évoluer au niveau de sa propre psyché. Ainsi, l'inconscient devient conscient à travers des expériences profondes, épuratives et parfois cathartiques.

Les trois planètes externes symbolisent la relation de l'homme avec des niveaux plus élevés et plus subtils d'expérience et chaque planète présente d'une façon différente ces thèmes archétypaux. Uranus pose un défi à l'homme en lui demandant de laisser tomber des modes désuets de pensée et de modifier du tout au tout ses idées en les harmonisant avec des forces supérieures. Neptune cherche à élever l'esprit de l'homme jusqu'à la sphère de la pure expérience transcendentale — par l'union avec Dieu. Pluton invite l'homme à modifier profondément sa conscience et, par le fait même, sa vie.

Pluton constitue un symbole subtil quoique influent dans l'horoscope. Un sujet qui, dans son thème de nativité, a Pluton en bonne position peut ressentir fortement sa destinée; l'influence de cette planète peut être très constructive ou très destructrice, donnant lieu à des types plutoniens ayant une grande envergure spirituelle ou qui deviennent de grands criminels. Dans certains enseignements occultes, on dit que Pluton constitue une octave élevée de Mercure (3), ce qui se décèle dans leur quête commune du savoir. Avec Mercure, cette quête prend la forme d'une re-

---

3. Dans la mythologie, Hermès (Mercure) conduisait les âmes des morts à l'Hadès (le royaume de Pluton).

Dans son ouvrage, *The Sacred Science*, John Hodgson aborde la relation de Mercure avec le signe qu'il domine: les Gémeaux (les jumeaux célestes). Symbolisée par l'immortel Pollux et son jumeau mortel Castor, la division de la vie entre la Terre et les cieux trouve son parallèle dans les mêmes aspects sombres et lumineux de Pluton.

Avec ses deux serpents (représentant la sagesse) disposés symétriquement de chaque côté d'une baguette (symbole du pouvoir), le caducée de Mercure symbolise, comme l'indique J.E. Circlot dans son *Dictionary of Symbols*, "des forces opposées qui s'équilibrent de façon à constituer une forme statique supérieure".

cherche intellectuelle tandis qu'avec Pluton, elle est la recherche d'un savoir caché impliquant des voyages à l'intérieur de la psyché.

Lorsqu'il y a plusieurs points de contact avec Pluton au sein d'une relation, ils peuvent être importants et transfigurateurs ou violents et destructeurs, tout dépendant du niveau de conscience des partenaires. La nature de Pluton est souvent compulsive et obsessive, comme en témoigne l'importance du lien unissant les partenaires. Des aspects discordants reliés à Pluton pourraient indiquer des luttes de pouvoir et des conflits mettant en cause l'ego, mais tout comme pour les aspects plus harmoniques, ceux-ci possèdent également un côté transfigurateur.

Pluton dans la Maison sept

Il est peu probable que ce natif recherche les relations superficielles, bien qu'il puisse avoir beaucoup de difficultés à établir un rapport satisfaisant et intime avec autrui. Le sujet est souvent attiré par des partenaires puissants et exigeants qui le manipulent, encore que ce soit d'une manière habile. Ses rapports sont en quelque sorte inéluctables et son implication est habituellement intense et très complexe. Le partenaire risque d'être un type plutonien ayant une forte dominante Scorpion ou Pluton. Cette position peut également indiquer que le partenaire est un individu fort intelligent, qui possède une pensée profonde.

Comme nous l'avons vu avec Saturne, Uranus et Neptune, ces "lourdes" planètes dans la Maison sept ont, à un niveau inférieur, un effet important sur l'individu. Comme Pluton symbolise la régénération et l'élimination, son effet peut se comparer à la desquamation, la peau régénérée succédant à la vieille peau. Le sujet se sert de ses relations pour mettre en oeuvre ce processus. Ainsi, le partenaire devient le catalyseur de l'évolution psychique du sujet. Hélas, ce dernier ignore souvent complètement ce processus, ne ressentant que l'effet important de la relation elle-même.

Le natif ressent souvent l'amorce d'un rapport karmique — d'où l'attraction contraignante et l'impression de l'inéluctable associées à la relation. C'est ainsi que nombre de conflits et d'échanges acerbes au sein du couple ont une origine très profonde et sont difficiles à identifier rationnellement et objectivement.

Cependant, il s'agit précisément de saisir l'occasion afin de purifier la psyché par l'intensité de la relation.

Certes, les effets de Pluton dans cette position peuvent être traumatisants et souvent, les relations vacillent de crise en crise. Scènes de jalousie, crises de possession et jeux affectifs en forment le cortège habituel. Parfois, un manque de confiance, voire la crainte, s'immisce entre les partenaires et un certain refoulement de même qu'une certaine contrainte sont ressentis au sein du couple. La cruauté mentale et physique peut être présente à l'occasion. En vérité, c'est le besoin du sujet d'aller au-delà de ses limites qui le pousse à jeter le blâme sur son partenaire. Parfois, le partenaire se dissocie émotivement par crainte d'émotions plus violentes, ou réciproquement, c'est le sujet lui-même qui bloque la réaction du partenaire.

Bien qu'on ait beaucoup parlé des problèmes associés à Pluton dans la Maison sept, on doit dire par ailleurs que cette position peut donner lieu à des rapports très profonds, passionnés et durables. Cependant, l'engagement total et la confiance qui sont nécessaires aux rapports humains ne peuvent exister que s'il y a transformation personnelle du sujet, découlant d'une prise de conscience de son être. Le partenaire et l'association favorisent la réalisation de ce processus qui fera de l'union ainsi réalisée une source de transformation pour les conjoints.

Dans toutes les descriptions qui précèdent, quand aucune planète n'est présente, le même facteur s'applique avec un effet moindre au signe se trouvant à la cuspide de la Maison. Ainsi, si la Balance est sur le descendant, les attributs associés à une Maison sept gouvernée par Vénus s'appliqueront, mais conformément au signe, aux aspects et à la position de Vénus.

Des complications peuvent également surgir si plus d'une planète doit être considérée dans cette Maison. Chaque planète doit alors être jugée au mérite et une synthèse faite qui combinera tous les facteurs. Certains astrologues affirment que chaque planète symbolise une relation définitive, mais mon travail d'astrologue m'a appris qu'il n'en est pas ainsi. Les planètes en Maison sept représentent les facteurs nécessaires à l'intégrité de l'individu et, si plus d'un symbole sont présents, il se peut que tous ces facteurs soient intégrés dans une seule relation importante (ou un mariage), ou encore qu'il faille deux ou trois relations pour les intégrer tous. On ne doit pas oublier non plus que la Maison sept couvre toutes les relations amoureuses et que la plupart des gens ont plus d'une relation intime au cours de leur vie. C'est ainsi que le symbolisme contenu dans cette Maison constitue l'arrière-fond de toute relation de ce type. De cette façon, une personne peut faire ressortir le meilleur de la Maison sept d'un natif, et une autre ce qu'elle a de pire. Du moment que le thème natal a été étudié en profondeur, qu'il a été tenu compte de toutes les planètes et des indications données par la Maison sept, l'astrologue possède une assise solide pour une comparaison de thèmes.

Chapitre quatre

Exemples de thèmes (II)

Chantez et dansez ensemble et soyez heureux
mais laissez à chacun de vous sa solitude,
tout comme les cordes d'un luth sont seules
bien que vibrant à la même musique.

Kahlil Gibran

"Le caractère, c'est la destinée": voilà une pensée souvent citée à propos d'astrologie; elle illustre que l'individu recèle en lui le germe de la réussite ou de l'insuccès. En ce sens, l'horoscope constitue un tracé du destin — un négatif de la potentialité. La capacité pour l'individu d'utiliser au mieux ses aptitudes est la clé de son "destin".

Cetains semblent ne jamais se remettre d'une vie qui a mal commencé alors que d'autres paraissent dès le début avoir de la chance et jouir du bonheur et du succès dans tous les aspects de leur existence. Chez d'autres encore, un mauvais départ ne fera que les porter à infléchir, de par leur volonté, le cours du destin. Les thèmes les moins favorables "produisent" souvent des individus réussis, ce qui indique que la conscience de soi et la croissance individuelle ne peuvent s'obtenir que par le biais d'un cheminement douloureux.

La psychologie ou la doctine karmique peuvent expliquer pourquoi certaines personnes se butent à d'innombrables difficultés dans leur vie: l'individu attire à lui les expériences qui reflètent son intériorité. Une intériorité harmonieuse ne peut que produire une vie harmonieuse.

Le thème apparaissant à la figure 10 est celui d'une femme qui a passé à travers nombre d'épreuves difficiles et dont les plus douloureuses concernaient justement les relations amoureuses. Élaine est la deuxième et dernière enfant de parents appartenant à la classe moyenne. Son père avait un poste d'ingénieur dans la Marine royale britannique et ne venait pas souvent à la maison (en fait, elle vit son père pour la première fois à l'âge de trois ans). Elle a un frère de huit ans plus vieux qu'elle, avec lequel elle a toujours été en conflit.

Les difficultés commencèrent très "tôt" dans sa vie, par des relations peu harmonieuses avec sa mère. Sa mère (Soleil

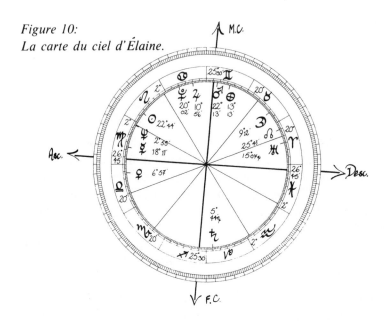

Figure 10:
La carte du ciel d'Élaine.

Taureau) préférait les garçons, de sorte que toute son attention se portait sur son fils. Élaine avait eu le malheur de naître à une époque où on croyait que le rôle de la femme se limitait aux fonctions domestiques; c'est son frère plutôt qu'elle que l'on encouragea aux études. La mère d'Élaine était très exigante à son endroit (en dépit de l'intelligence et de la beauté de sa fille) et, bien qu'il n'y eut pas sévices graves, les agressions physiques et verbales de la mère comportaient une dose de méchanceté. Heureusement, les rapports d'Élaine avec son père étaient chaleureux et pleins de tendresse (encore que sporadiques), ce qui compensait le manque d'amour véritable et de compréhension de la part de la mère. On inculqua très tôt à Élaine l'idée que les hommes (et particulièrement son frère) sont les plus forts et que les femmes (en particulier elle-même) sont des citoyens de seconde zone. En conséquence, Élaine se rebella et devint hostile à une foule de choses; elle devint un "garçon manqué", se tenant avec les garçons et entrant en compétition avec eux.

Élaine eut quelques bons amis durant l'enfance et l'adolescence et, bien qu'elle fréquentât les garçons, elle n'avait aucun ami de coeur. À dix-sept ans, quelqu'un tenta de la violer mais elle put s'enfuir. Le soir même de cette tentative de viol, elle eut une violente altercation avec sa mère, à la suite de quoi elle quitta la maison et prit le traversier pour les îles de la Manche. Jusqu'alors, Élaine travaillait comme apprentie coiffeuse mais, après son arrivée aux îles, elle postula avec succès le poste de gérante dans un salon de beauté.

S'étant éloignée de la maison et de l'influence néfaste de sa mère, Élaine eut une vie plus heureuse. Elle se lia d'amitié avec la propriétaire de l'immeuble où elle demeurait, qui se substitua à sa mère et lui apporta support et compréhension. Trois ans plus tard, à l'âge de vingt ans, elle rencontra son premier mari, Émile. Dès qu'elle l'eut rencontré, elle eut le coup de foudre mais refusa obstinément de sortir avec lui durant six mois. Elle croit aujourd'hui que cela ne résultait pas seulement de la menace que représentait Émile pour son indépendance, mais des problèmes qu'à ses yeux cet homme allait lui susciter. Ses craintes étaient d'ailleurs fondées. Aucun des parents d'Émile n'assista au mariage et, au cours des rares rencontres qu'elle eut avec la mère de son conjoint, celle-ci ne lui témoigna aucune sympathie.

Dans tous les sens du terme, Émile fut le premier amour d'Élaine et, en tant que novice dans le domaine sexuel, elle ressentait la plénitude de leurs rapports amoureux. Cependant, au cours de la dernière nuit de leur lune de miel, elle fut un peu ennuyée de voir Émile converser une grande partie de la nuit avec un homme, invitant Élaine en quelque sorte à retourner sans lui à l'hôtel. Il revint à la chambre à 5 h 30 le lendemain matin. Au cours des quelques mois qui suivirent, Élaine se rendit compte que quelque chose "clochait" dans leurs rapports amoureux. Émile exigeait d'elle des comportements sexuels qui lui répugnaient. Neuf mois après le mariage, elle découvrit qu'il était homosexuel. Le traumatisme de cette découverte, combiné à son amour profond pour Émile, la fit sombrer dans un état de postration physique et mentale. Elle tenta deux ou trois fois de se réconcilier avec son conjoint, mais la séparation finale eut lieu lorsqu'elle constata, d'après le contenu d'une lettre d'Émile adressée à sa mère, qu'une relation incestueuse existait entre eux deux. Le divorce fut accordé cinq ans plus tard, mais il fallut dix-sept ans à Élaine pour accepter cette séparation.

En dépit de ce traumatisme affectif, elle réussissait très bien en affaires, ce qui lui donnait pouvoir et indépendance. Deux ans après son divorce d'avec Émile, elle rencontra Antoine, celui qui allait devenir son deuxième mari et qui était déjà marié à cette époque. En dépit de son indifférence à son endroit, Antoine lui fit une cour effrénée, se séparant même de sa femme. Élaine et Antoine se marièrent deux ans plus tard, après la naissance d'un fils. Bien qu'Antoine fût très amoureux et tendre à son égard, Élaine était malheureuse, la raison étant qu'elle ne ressentait aucun amour véritable pour Antoine — facteur qui s'ajoutait à l'impossibilité pour elle de se défaire de ses sentiments à l'endroit d'Émile. Trois ans après le mariage, la carrière d'Antoine les amena à s'installer aux Antilles — ironiquement à un endroit qui se trouvait à quelques centaines de milles du domicile d'Émile. Sachant les sentiments qu'elle entretenait à l'égard d'Émile, Antoine fit en sorte qu'elle se rendît visiter son ancien mari à Noël. La veille du départ d'Élaine, Émile se tua dans un accident de voiture.

Le mariage se détériora. Antoine, grand buveur avant le mariage, se remit à boire et commença à prendre de la drogue, ce qui provoqua sa mort quatre ans plus tard.

À la mort d'Antoine, Élaine retourna en Angleterre et se remit aux affaires tout en élevant seule ses deux enfants. L'aîné, garçon équilibré et brillant, reçut une bourse lui permettant d'accéder à une excellente école tandis que le benjamin, qui semblait n'avoir aucune aptitude, fréquentait les "durs" du quartier et eut maille à partir avec la police. Les deux garçons n'avaient que de l'antipathie l'un pour l'autre et leurs affrontements continuels rendaient impossible la vie de famille. Cette situation, combinée à la difficulté de faire marcher l'entreprise, produisit plus d'une fois l'effondrement financier et émotionnel d'Élaine. Six ans après la mort d'Antoine, elle tenta de se suicider. Élaine ne reçut aucun support (moral ou autre) de sa mère et de son frère (son père était mort alors qu'elle avait vingt-sept ans), ce qui ne fit qu'accroître son sentiment d'isolement.

Elle plongea à corps perdu dans les activités commerciales, essayant de s'occuper tant bien que mal des enfants qui approchaient alors de l'adolescence. Elle évitait de nouer des relations trop intimes et à certains moments elle repoussait toute marque d'affection.

Cette situation dura quatre ans, jusqu'à sa rencontre avec Luc, le troisième homme de sa vie. Luc était malheureux en mariage; sa femme était dominatrice et avait un caractère peu engageant. Bien que faisant de grands efforts pour ne pas se lier, Élaine et lui ne purent s'empêcher de tomber amoureux l'un de l'autre. Élaine se sentait enfin heureuse. Leur tempérament et leurs besoins sexuels s'accordaient parfaitement; il l'aida à régulariser sa situation financière et, avec son appui, le benjamin trouva une nouvelle voie. Moins d'un an plus tard, Luc fut promu au poste de dirigeant de la succursale de sa compagnie au Kenya. Il ne pouvait refuser une telle promotion, de sorte que la relation fut brisée. Quelques mois plus tard, Élaine fut hospitalisée pour problèmes de santé.

Pendant sa lente convalescence, Élaine commença à faire le bilan de sa vie de façon à voir comment elle pouvait changer le modèle de son existence, faite de souffrance et de malheur. Des douleurs chroniques à la colonne vertébrale (qui commencèrent alors qu'elle avait dix-sept ans) l'avaient fait souffrir de nombreuses années et s'étaient aggravées au cours de ses grossesses successives. Durant son séjour à l'hôpital, une physiothérapeute aveugle commença à la soigner. Elle ne fit pas qu'éliminer les plus fortes douleurs par des massages mais encouragea Élaine à entreprendre des séances d'autorelaxation. Ces deux facteurs firent disparaître le stress physique, mental et émotif qui s'était accumulé au fil des années. Son psychisme se modifia également et le désir surgit chez elle d'accéder à une nouvelle dimension spirituelle. À cette époque, Alain, qui s'intéressait aux valeurs spirituelles et qu'elle connaissait depuis plusieurs années, vint à jouer un rôle de plus en plus grand dans sa vie. Leur relation était harmonieuse. Grâce à Alain, Élaine commença à ressentir une force intérieure et à éprouver une conviction qui la portèrent à laisser agir cette nouvelle dimension au sein de sa vie.

Au cours des six derniers mois, Élaine est passée par un lent processus de découverte de son moi. Sa plus grande difficulté réside dans le fait qu'elle a un besoin quasi compulsif d'être toujours en position d'autorité. Elle a grandi avec le sentiment que toute sa vie était une sorte de lutte contre le destin. Pour assurer son indépendance complète, elle a dû refouler des sentiments qui auraient fait d'elle un être vulnérable et à la merci d'autrui. Or, malgré son ardent désir de bonheur et d'amour, elle mettait inconsciemment un terme à toute relation impliquant le partage de son moi et ce, de crainte d'être blessée. Trois de ses partenaires refusèrent de se marier avec elle et l'entraînèrent dans des culs-de-sac.

Le thème astrologique d'Élaine fournit un portrait fidèle de sa nature complexe et de sa vie enchevêtrée. Ce thème, bien qu'il soit dominé par une difficile "Grande Croix" (ou grand carré) dans les signes cardinaux, ne manque pas d'éléments qui rachètent ses aspects défavorables. Le Soleil en Lion est dans son propre signe; la Lune est exaltée dans le Taureau et les deux planètes forment des aspects favorables. La difficulté majeure du thème d'Élaine réside dans la configuration problématique de Saturne, qui constitue "l'anse" d'un développement "en forme de seau*". En dépit du fait qu'il soit mis en valeur dans son propre signe du Capricorne, Saturne est un fardeau très considérable à cause de sa position dans la Maison quatre. Le Fond-du-ciel et la Maison quatre symbolisent la maison familiale, l'origine et les racines psychologiques, affectives et physiques. La présence de Saturne dans cette Maison sensible exerce une influence austère et incessante. Depuis son enfance, Élaine ne s'est pas sentie aimée; elle était l'archétype du mouton noir de la famille. Cette position désigne souvent l'absence de bonheur dans l'enfance, alors que les valeurs inculquées ont été le sens du devoir et de la discipline. Elle peut également désigner l'absence d'un parent (particulièrement du père), ce qui est suffisamment démontré par les apparitions intermittentes du père d'Élaine. Fillette sensible, Élaine constata que l'unique personne qu'elle aimât la faisait également souffrir en disparaissant constamment, de sorte que les hommes en général n'apparaissaient pas

---

*D'après la typologie de l'astrologue américain Mark Edmund Jones. (N.D.T.)

dignes de confiance à ses yeux. Saturne étant en carré avec l'ascendant, cela a renforcé les problèmes familiaux qui ont contribué à miner son respect de soi.

Bien que la Lune soit exaltée dans le signe du Taureau — signe qui incarne la stabilité émotive — ce symbole essentiellement féminin forme un aspect avec Saturne. L'union Lune/Saturne indique qu'Élaine est très sensible mais qu'elle contrôle ses sentiments, même s'ils se trouvent écrasés par les attributs contraignants de Saturne. La Lune, qui symbolise également la mère, démontre amplement le manque de réaction émotive et la froideur de la mère d'Élaine. On pourrait arguer que le trigone (trine) *doit* souligner l'harmonie de ces deux idées. Mais comme nous connaissons tout le mal fait à Élaine par sa relation malheureuse avec sa mère, on décèle tout de suite là le manque de sympathie inhérent à la relation entre la Lune et Saturne. Jupiter et Pluton dans la Maison dix (la première planète jouant un rôle dans la Grande Croix) éclairent également la situation familiale. Comme sa mère était le facteur le plus influent, Élaine émerge sous la forme double de Jupiter et de Pluton, figures toutes-puissantes et manipulatrices.

Les émotions qui ne peuvent trouver d'exutoire se manifestent trop souvent sous la forme de problèmes de santé. Dans le cas d'Élaine, la colonne vertébrale (partie du squelette gouvernée par Saturne) prit sur elle toute la tension de la souffrance émotive. Il est très significatif de constater que c'est à l'âge de dix-sept ans, après la tentative de viol et le départ de la maison familiale, que les problèmes vertébraux se déclarèrent. (Ceci coïncidait avec un transit Saturne/Pluton conjoint en carré avec la Lune, ce qui mettait le conflit Lune/Saturne en relief. Plus tard cette année-là, Saturne était en conjonction avec le Soleil radical alors qu'Uranus transitait de part et d'autre au-dessus du Milieu-du-ciel. La Lune en progression était en conjonction avec l'Uranus natal dans le mois où eut lieu la crise.)

Saturne cause d'autres embarras à Élaine en formant un étroit aspect en carré avec Vénus, qui est un autre symbole féminin. Cet aspect coïncide également avec des expériences malheureuses dans l'enfance. Comme Vénus symbolise l'aptitude à se créer des relations ainsi qu'à exprimer et recevoir de l'affection — en fait, à trouver le bonheur — Saturne pose une restriction ici. Cet aspect apparaît invariablement dans le thème astrologique des femmes qui doutent de leur apparence et de leur aptitude à attirer des hommes qui les aimeront pour elles-mêmes. Paradoxalement, ces femmes sont souvent très belles, bien qu'elles parussent intouchables et distantes. Cherchant à contrer les sentiments d'insuffisance accompagnant les aspects de la Lune et de Vénus/Saturne, ces femmes auront tendance à atteindre le succès. La plus grande compensation d'Élaine fut son aptitude aux affaires. (Bien sûr, lorsque le Soleil est en Lion et que le sextile de Mars est en conjonction avec le Milieu-du-ciel, cela met également en relief le besoin de faire carrière et la volonté de réussite.)

Le rejet est habituellement présent dans la vie de ceux qui ont des contacts Vénus/Saturne et cet aspect en carré est peut-être celui avec lequel il est le plus difficile de s'accommoder. Élaine fut rejetée par Émile et Luc tandis qu'avec son second mari, Antoine, la situation s'est renversée (ce qui était aussi dérangeant).

La Maison sept d'Élaine fournit un graphique de ses rapports avec Émile, Antoine, Luc et Alain. Avec les Poissons à la cuspide du descendant, Neptune, maître de la Maison douze, constitue un important facteur au sein des trois relations. Émile (pour lequel elle ressentait un attachement profond), était homosexuel et de nombreux éléments troublants à propos de sa vie furent mis en lumière tardivement dans le mariage. (Il était incidemment Soleil en Gémeaux, reflétant le Mars d'Élaine dans ce signe au MC.) Tous les espoirs mis en Émile s'effondrèrent et le mariage s'écroula avec la découverte de son homosexualité. Son inaptitude à entretenir des rapports physiques normaux accrût le sentiment d'Élaine d'avoir échoué en tant que femme et renforça l'idée de rejet. (Vénus était en conjonction avec son noeud descendant (noeud sud) au cours de l'année de la rencontre avec Émile et, au moment de la séparation, Mars en progression s'opposait à son Saturne natal.)

Antoine était un alcoolique qui mourut de l'abus d'alcool et de drogue; ces deux éléments sont éminemment neptuniens. Ce mariage fut également rempli de désappointements et d'amour non partagé. (Le Soleil d'Antoine était situé à 10° en Capricorne; il était ainsi en conjonction avec le Saturne d'Élaine opposé à Jupiter et en carré avec Vénus et Uranus, ce qui a fait agir la Grande

Croix. Élaine rencontra Antoine à l'âge de vingt-neuf ans, l'année du retour de Saturne.)

Alain est la troisième figure neptunienne de sa vie. Cette fois-ci, Neptune, "le mystique", émerge en tant que thème. Alain est fortement porté sur les questions spirituelles. De l'empathie et de la compréhension mutuelle existent entre Élaine et lui, bien qu'à cette étape la relation soit platonique. (Alain est un Soleil Vierge, son Neptune est en conjonction avec l'ascendant d'Élaine; le Neptune d'Élaine est en conjonction avec son Mercure tandis que le Neptune d'Alain est en conjonction avec celui d'Élaine. Leur relation se reffermit alors que Neptune était en conjonction avec le FC d'Élaine.)

Le contenu neptunien de leur relation se discerne dans la formation d'un trigone constitué de la Lune, de Saturne et de Neptune, toutes trois situées dans les trois Maisons d'eau. Cette formation détermine de très grandes propriétés psychiques, de sensibilité et de compassion ainsi que des éléments de sacrifice, de souffrance et de douleur.

Luc est le seul conjoint qui ne reflète pas entièrement l'influence neptunienne de la Maison sept d'Élaine. Luc a une personnalité fortement aryenne qui reflète le Mars dominant d'Élaine. Il a aussi un ascendant Lion en conjonction avec le Soleil d'Élaine. Ainsi, son descendant est gouverné par Uranus, la même planète qui se trouve dans la Maison sept d'Élaine. Uranus incarne la liberté et, dans la Maison sept, souligne l'attirance pour l'inusité et l'inatteignable. Luc était évidemment marié et, en dernière analyse, incapable de quitter sa femme. C'est au cours de sa relation avec Luc qu'elle était le plus heureuse et capable d'être elle-même. La conjonction Mars/Uranus de Luc est en conjonction exacte avec la Lune d'Élaine en Taureau; la séparation eut lieu lors d'une éclipse de la Lune en carré avec Uranus en transit. On soupçonne toujours cependant une influence neptunienne chez Luc, Neptune dans son thème natal formant l'anse de son "développement en forme de seau" qui, par coïncidence, est en conjonction avec le Mercure natal d'Élaine.

D'un point de vue astrologique, ce qui est pertinent, ce n'est pas seulement que l'expérience relationnelle d'Élaine reflète distinctement l'influence Neptune/Uranus dans la Maison huit et le contenu fortement Saturien en général de son thème, mais que les conjoints eux-mêmes possèdent des facteurs astrologiques pertinents qui apparaissent de façon non équivoque dans leurs propres cartes du ciel. De plus, l'influence de ces facteurs dans la vie d'Élaine se fait sentir au moment où les planètes concernées sont bien en évidence (par progression et transit).

Bien que le Soleil présente un aspect favorable et que le sextile Lune/Jupiter d'Élaine contribue à relâcher les tensions de la Grande Croix, cette configuration est la cause fondamentale des difficultés de sa relation. Pauvre Vénus! Forte dans son propre signe, maîtresse de la Maison deux, celle des sentiments — ne s'élevant que pour mieux s'effondrer —, elle est la seule planète individuelle prise dans cette configuration. Ainsi, une trop grande indulgence, un excès de Vénus en carré avec Jupiter, l'instabilité affective, l'opposition obstinée Uranus/Vénus et l'action gênante de Saturne conduisent à un cercle vicieux et à un perpétuel état de dépendance vis-à-vis d'un quelconque transit ou d'une progression vers ses quatre pointes.

Nombreuses sont les personnes nées au cours de la même année qu'Élaine et qui ont une configuration identique à la sienne. La plus connue est peut-être la princesse Margaret, dont l'anniversaire tombe une semaine près celle d'Élaine. La carte du ciel de la princesse Margaret est donnée à la figure 11 et montre la Grande Croix renversée. Dans ce cas, Saturne et Vénus ne sont pas seulement dans leurs propres signes mais dans leurs propres Maisons, elles forment des angles obliques entre elles; Jupiter (exalté en Cancer) et Uranus sont fortement en conjonction avec, respectivement, le Fond-du-ciel et les pointes de l'ascendant. La princesse Margaret a également eu des relations traumatisantes, qui lui ont apporté beaucoup de peine, d'amertume et de désillusions. Elle renonça à son premier amour, Peter Townsend, par "devoir envers sa famille et sa patrie" et ce, au moment où sa relation menaçait de faire s'effondrer le gouvernement de l'époque. Sa relation avec Anthony Armstrong-Jones, décrite comme un "conte de fées", donna lieu à une hostilité ouverte, à la séparation et finalement au divorce. (Margaret a une conjonction Soleil/Neptune reflétée par le Soleil/Poissons de Armstrong-Jones, avec Mars dans

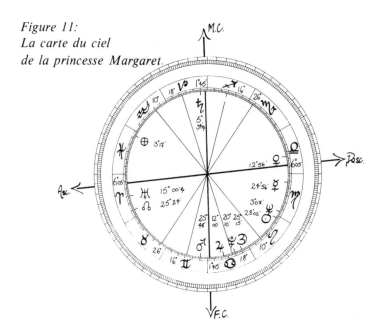

Figure 11:
La carte du ciel
de la princesse Margaret.

sa Maison douze et Neptune en conjonction exacte avec son descendant.) L'attirance initiale qui la poussa vers Armstrong-Jones
procédait de son style de vie de bohème et de l'indifférence de ce
dernier à l'égard du protocole de l'aristocratie et de la royauté.

La princesse Margaret, que l'on appelle parfois "la princesse
rebelle", est un membre très controversé de la famille royale. Elle
possède un esprit créateur, est pleine de talent et dégage un charisme. Enfant, on l'a encouragée à la danse et à en faire à sa tête;
dans la vie adulte, on ne lui a donné aucun exutoire pour sa créativité. Uranus ascendant témoigne d'une insistance quasi compulsive en vue d'atteindre la liberté et l'indépendance, mais celle-ci
est contrée entièrement par Saturne ascendant dans son propre
signe et en conjonction avec le Milieu-du-ciel. Chérie dans son
enfance, la princesse Margaret est devenue au cours des dernières
années une figure solitaire, faisant souvent l'objet de critiques et de
désapprobation de la part du public. Sa vie contraste fortement
avec celle de sa soeur, la reine, qui file le parfait bonheur avec
l'homme de son coeur et qui est adorée de son peuple. "Une vie con-

damnée à l'incomplétude", tels sont les mots employés à son sujet par un journaliste dans une récente biographie; certes, l'influence de la Grande Croix qui flanque les axes ascendant/descendant et MC/FC y est pour quelque chose.

Il est très tentant de croire que le karma explique les expériences malheureuses de ces femmes. Saturne, en tant que "dieu du karma" et dominant à un tel point les deux thèmes, peut être considéré de diverses façons comme un juge omniscient qui distribue douleurs et difficultés en guise de punitions pour des fautes antérieures. Cependant, les modèles affectifs et comportementaux hérités de l'enfance ont eu de toute évidence un rôle à jouer dans les difficultés ultérieures des deux sujets. La princesse Margaret, avec sa conjonction Soleil/Neptune en Lion, adorait et idéalisait son père. En conséquence, la projection qu'elle faisait des attributs paternels sur ses partenaires ne lui permit jamais de les percevoir tels qu'ils étaient, ce qui ne pouvait donner que des relations insatisfaisantes. Les rapports d'Élaine avec son père lui firent relier l'amour à l'affliction, facteur qui influença inconsciemment ses relations à l'âge adulte.

En conclusion, les thèmes tant de la princesse Margaret que d'Élaine illustrent amplement la façon dont les relations deviennent un moyen pour l'individu de solutionner ses conflits intérieurs et la manière dont les partenaires deviennent des prétextes pour refuser de reconnaître ses propres attributs. Élaine recherche pouvoir et succès aussi bien que compassion et sensibilité chez ses partenaires (Maison sept gouvernée par Neptune et Lune en trigone avec Neptune). En tant que personne à prédominance terrienne, elle exprime l'efficacité, la capacité d'accomplissement et le sens pratique, tous des attributs qui attirent les prétendants. L'eau, cependant, est faiblement représentée dans son thème (Jupiter et Pluton étant les seules planètes dans cet élément) et, en dépit d'un grand trigone (ou trigone fermé) dans les Maison d'eau (mettant en cause la Lune et Neptune), le côté affectif de sa personnalité n'a pas pu s'exprimer pleinement. Ainsi, ses sentiments sont de nature quasi infantile. Les caractéristiques dominantes de ses relations, et de loin, sont d'origine neptunienne; ces qualités, associées à l'absence de l'élément eau, l'ont amenée à projet sur ses partenaires ce qu'elle refoulait en elle-même. Aujourd'hui, toutefois, ces caractéristiques de sa psyché ressortent. Présentement, Élaine a un désir irrépressible de se dissocier de son image d'efficacité et de capacité d'accomplissement et de se plonger dans la spiritualité. S'est développé chez elle un intérêt profond pour la métaphysique et elle explore, par la méditation, les domaines de l'intériorité. Ce processus révèle en fait des aspects de la féminité au sein de sa propre psyché. Elle devrait ultimement trouver un partenaire sans avoir à porter le fardeau embarrassant de ses projections inconscientes.

Margaret, qui a récemment subi l'effondrement d'une troisième relation fortement controversée avec un homme de dix-sept ans plus jeune qu'elle, se voit, tout comme Élaine, engagée dans un processus de découverte de son moi. Comme l'affirme en conclusion l'auteur d'une récente biographie: "Aujourd'hui, la princesse Margaret est enfin en paix avec elle-même. Elle est dans une très grande forme et exaltée par ce que lui promet l'avenir, alors que les sombres nuages de son passé appartiennent à une époque révolue."

Chapitre cinq
La comparaison de thèmes

Si un homme vit sans luttes intérieures, si tout en lui se présente sans opposition... il demeurera tel qu'il est.

Gurdjieff

L'interprétation de thèmes est un art et, bien que tout art suppose une technique, l'artiste doit, le moment venu, maîtriser cette technique au point d'agir par instinct. Ainsi, pour commencer, l'astrologie est pour une grande part un processus progressif consistant à agencer les pièces d'un puzzle; par exemple: la Lune dans le Bélier, la Lune dans le Bélier en Maison douze, la Lune dans le Bélier en Maison douze en carré avec Jupiter, la Lune dans le Bélier en Maison douze en carré avec Jupiter et en trigone avec Saturne. En synastrie existe le même processus d'assimilation des éléments astrologiques; on doit d'abord évaluer les thèmes individuels puis les éléments de comparaison. Cependant, le fait qu'une technique puisse servir à l'étude des relations ne doit pas faire oublier que la rencontre de deux individus implique une union "chimique" et "spirituelle": un mélange de deux essences distinctes dépassant le cadre du thème de naissance.

La plupart des besoins d'expérience personnelle d'un individu se reflètent dans ses relations. Bien que rares, des contacts inharmoniques peuvent s'établir entre deux thèmes, ceci ne voulant pas dire que la relation n'est pas profitable ou satisfaisante, ou encore que les deux sujets ne sont pas "faits" pour aller ensemble. De la même façon, aucune garantie n'existe quant à la durée exacte d'une relation. Deux individus peuvent bien s'harmoniser mais se séparer finalement sous un difficile transit de Saturne, de Pluton ou d'Uranus. Par contre, un autre couple passera sans peine à travers le même transit, et émergera plus uni et plus fort. Tout dépend des individus en cause, de leur niveau de conscience et des besoins qu'ils ressentent l'un par rapport à l'autre.

Très tôt dans mon expérience d'astrologue, j'ai fait une assertion erronée qui se fondait sur l'harmonie entre le thème d'une cliente, Claire, et du nouvel homme de sa vie, David. La Lune de

Claire se trouvait sur l'ascendant de David tandis que le Soleil de David était sur la planète Vénus de Claire, tous deux étant traditionnellement des aspects favorables à l'harmonie et à la compatibilité. Il y avait de nombreux sextiles harmoniques et des trigones entre leurs planètes; les problèmes qu'ils rencontraient dans leur relation n'étaient pas insurmontables. À mon heureuse surprise, David demanda Claire en mariage à peine six semaines après leur rencontre; elle acquiesça mais, après moins de cinq semaines, il se désista. Une recherche intensive du coupable au niveau du thème ne produisit aucun résultat et David ne dévoila pas à Claire la raison de sa volte-face. Il semblait que la relation avait été épuisée en trois mois, qu'elle avait offert à tous deux tout ce qu'elle pouvait offrir.

Comme on l'a vu, étudier le potentiel relationnel de chaque thème est une absolue nécessité en synastrie. Un autre important facteur qu'on doit considérer est l'âge et le passé des sujets concernés: le thème d'une femme de vingt-deux ans avec Vénus en carré avec Saturne dans la Maison sept n'évoque pas le même scénario que celui d'un divorcé de quarante ans qui se marie avec une femme de cinquante-cinq ans née sous le signe du Capricorne. Un carré Vénus/Saturne constitue un aspect notoirement défavorable qui nécessite un certain apprentissage des relations et une difficulté à trouver un équilibre et le bonheur en amour. Il est fort peu probable qu'un sujet de vingt-deux ans ait acquis une expérience suffisante de la vie pour comprendre un tant soit peu le conflit intérieur que reflète cet aspect. Ni qu'un homme fortement jupitérien du même âge corresponde exactement à la figure paternelle symbolisée fréquemment par Saturne dans la Maison sept. Ainsi, il est plus que probable que ce partenaire serait une source de peines et de difficultés et que, en outre, la relation elle-même souffrirait de nombreux problèmes de croissance.

La maturité ne garantit évidemment pas la connaissance de soi, mais Saturne influence grandement ce processus. Vers la vingt-neuvième année de la vie environ (et entre la cinquante-huitième et la soixantième également) Saturne retourne à sa position natale, ayant transité dans les douze signes du zodiaque au cours de son orbite autour du Soleil. Au moment où il atteint ce point, l'influence intégrale de Saturne se fait sentir dans sa position natale (incluant tous ses aspects). Immanquablement, ceci implique quelques expériences douloureuses, qui permettront à l'individu qui réfléchit et questionne ses réactions de saisir les facteurs profonds qui agissent sur sa vie et son comportement. Le retour de Saturne ne souligne pas seulement la fin d'un cycle important de la vie, mais le début d'un autre, de sorte qu'il n'est pas surprenant de voir de nombreuses relations s'effondrer lors du retour de Saturne dans un thème ou dans les deux thèmes à la fois. Le sujet peut sentir qu'il est à un point tournant de sa vie et que ce qui était valable et nécessaire jusqu'alors ne l'est plus dorénavant. À ce moment-là, presque toutes les relations qui se sont formées avant le retour de Saturne passent à travers une période d'ajustements. Réciproquement, de nombreuses personnes se marient effectivement vers vingt-neuf ans.

Les gens se marient pour une foule de raisons: certains pour la sécurité, d'autres pour fuir une vie de famille malheureuse et d'autres encore pour partager des intérêts communs ou pour avoir de la compagnie. Habituellement, toutefois, les gens se marient par amour, ce qui ne garantit pas la pérennité des sentiments. Un des sujets soulevés au chapitre 4 était l'usage des deux mots grecs se rapportant à la notion d'amour: "eros" (amour physique et passion) et "agape" (lien profond, quasi spirituel); ces deux mots sous-tendent diverses expériences susceptibles d'être comparées à celles qui se rapportent respectivement à Vénus et à la Lune. Nombre de relations s'établissent à l'origine par le biais d'éros-Vénus, mais toutes n'évoluent pas cependant jusqu'au niveau plus profond et plus durable d'"agape" — une des raisons pour laquelle les contacts lunaires sont si importants en synastrie.

Du moment que les thèmes ont été étudiés afin de trouver le potentiel natal des relations et qu'on a tenu compte de tous les autres facteurs (milieu, âge, etc.), la comparaison de thèmes proprement dite peut être entreprise 1.

---

1. Ayant parlé amplement de l'échange d'éléments au chapitre 1, je n'y reviendrai pas.

Chaque thème reflète-t-il
les attributs recherchés par l'autre?

À partir de l'enfance, chaque individu se forme une image de l'homme idéal ou de la femme idéale. Comme nous l'avons vu précédemment, le père et la mère constituent notre premier modèle important de l'homme et de la femme, et, en ce qui concerne les relations à venir, ce modèle agit grandement sur nos attentes. L'imagination, les contes de fées et les médias font le reste. Nous voulons que vos partenaires répondent à nos désirs et à nos besoins et, bien que nous puissions ressentir une attirance pour les gens possédant les attributs que nous admirons, nous constatons que les partenaires deviennent un moyen facile de nous débarrasser également des attributs dont nous ne voulons pas ou qui n'ont pas été reconnus comme tels. Dans la psychologie jungienne, l'*animus* et l'*anima* représentent les figures masculine et féminine inconscientes contenues dans notre psyché. De nombreux facteurs contribuent à ces images et nombre des attributs de l'anima et de l'animus apparaissent en différentes zones de l'horoscope. Bien que cela puisse sembler simpliste, on peut retrouver, dans le thème d'une femme, les attributs masculins de l'animus dans les planètes masculines, particulièrement dans le Soleil et Mars, et ceux de l'anima dans les planètes féminines, en particulier dans la Lune et Vénus. "L'état amoureux" n'est souvent rien de moins qu'une infatuation qui comprend la projection des attributs de l'animus/anima sur le partenaire. Ceci peut être particulièrement embarrassant si le partenaire ne correspond pas à la projection. Idéalement, chaque individu a besoin de reconnaître les aspects mâle et femelle de sa propre psyché de façon à ce que les partenaires ne soient pas abusés ou ne s'abusent pas entre eux.

Les symboles d'un horoscope représentent les nombreux niveaux de l'être ainsi que l'image du partenaire. C'est pourquoi il est très important que le thème du partenaire reflète les attributs recherchés par l'autre (et vice versa). Par exemple, le partenaire (mâle) dont Mars est dans le Sagittaire reflète le thème d'une femme dont le Soleil est au Sagittaire et qui a également une conjonction Mars/Uranus dans les Gémeaux; la partenaire dont la

118

Lune est dans la Maison sept reflète l'ascendant de l'homme au Cancer. Comme je l'ai indiqué précédemment dans ce chapitre, un tel aspect peut par la même occasion nous révéler quelque chose à propos du partenaire. En tant que symboles des principes mâle/femelle, le Soleil et la Lune, ainsi que Mars et Vénus, permettent, plus que toutes les autres planètes, de discerner, quant aux relations, les aspirations et les besoins. Hormis qu'ils représentent des traits de caractère et des dimensions de la psyché, des aspects se rapportant à ces planètes décrivent le type d'expérience recherchée au sein des relations. Ainsi, un partenaire qui reflète ces attributs aide en un sens le sujet à entrer en relation avec cet aspect contenu dans sa propre psyché.

Des configurations et des aspects similaires dans un thème et dans un autre indiquent également une réciprocité. Ainsi, deux sujets peuvent avoir des carrés Lune/Pluton ou la même planète ascendante; peut-être qu'on aura une conjonction Vénus/Jupiter dans un thème et une conjonction Mars/Jupiter dans l'autre. Aux figures 4 et 5, on constate que les deux partenaires ont, dans leurs thèmes de naissance, des carrés Vénus/Saturne. Vénus est la maîtresse des deux thèmes et Saturne est le maître du Soleil de Jean alors que Mars, maître du Soleil de Marie, est en conjonction avec Saturne. Marie a Jupiter en conjonction avec l'ascendant et Jean a une conjonction Soleil/Jupiter. Aux figures 12 et 13, les deux sujets ont des oppositions Lune/Vénus flanquant l'axe ascendant/descendant. Clark Gable a une opposition Lune/Saturne alors que Carole Lombard a une opposition Soleil/Saturne. Cette dernière a un carré en T comprenant Uranus, Neptune et le Soleil (dans les Maisons cinq, onze et huit) tandis que Clark Gable a un carré en T dans une position identique et mettant en cause Uranus, Pluton et Mars. Aux figures 14 et 15, Lauren Bacall a une opposition Mars/Neptune tandis que Humphrey Bogart a une opposition Vénus/Neptune. Aux figures 6 et 7, Laurence Olivier a une conjonction Mars/Uranus et Vivien Leigh a une conjonction Lune/Uranus. Tous deux ont des oppositions Mars/Jupiter. Il est particulièrement intéressant de noter que l'opposition Lune/Saturne de Clark Gable reflète la féminité, alors que l'opposition Soleil/Saturne de Carole Lombard reflète la masculinité.

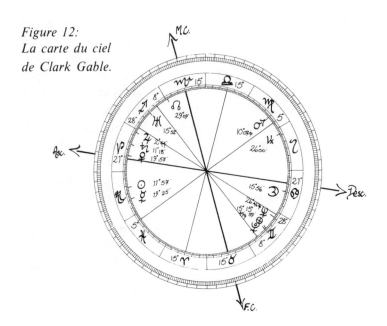

Figure 12:
La carte du ciel
de Clark Gable.

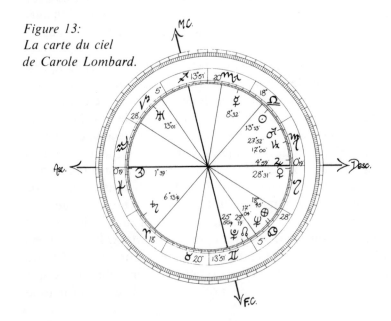

Figure 13:
La carte du ciel
de Carole Lombard.

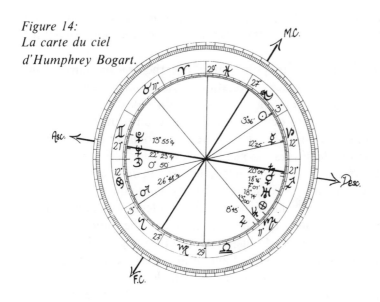

Figure 14:
La carte du ciel
d'Humphrey Bogart.

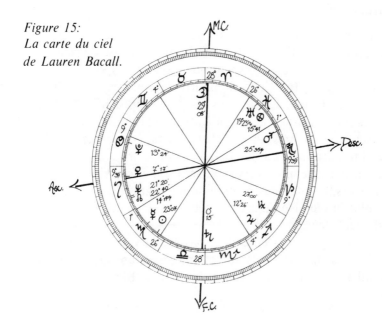

Figure 15:
La carte du ciel
de Lauren Bacall.

121

La même situation se retrouve dans le cas de l'opposition Mars/Neptune de Lauren Bacall et de l'opposition Vénus/Neptune de Bogart.

Jusqu'à un certain point, avec des thèmes similaires dans chaque thème individuel, la relation devient un moyen d'expression du potentiel existant et, même s'il est difficile d'établir une correspondance entre les deux thèmes, la relation peut quand même s'établir et être valable. En fait, si deux personnes ont des aspects contraignants identiques, ils peuvent s'identifier fortement à leurs difficultés réciproques. Ainsi, une telle relation offre une possibilité unique de reconnaître des modèles psychologiques difficiles et d'apprendre comment en disposer. Bien évidemment, si quelqu'un déteste quelque chose en lui qu'il retrouve chez autrui, il peut souvent lui être difficile de disposer de cette image réfléchissante. Cela peut facilement susciter l'aliénation entre partenaires, mais comme les aspects contraignants recèlent le plus de potentiel de croissance, les difficultés partagées offrent la meilleure occasion de se transformer.

Les interaspects

Certains contacts entre deux thèmes sont évidents alors que d'autres sont plus difficiles à déceler. Il faut, à cause de cela, dessiner un graphique des aspects réciproques ou interaspects, tel qu'on le voit à la figure 16. Celle-ci montre les interaspects d'Adolf Hitler et d'Eva Braun. Les aspects les plus rapprochés et les plus importants sont encerclés de façon à attirer l'attention sur les liens les plus significatifs unissant ces deux sujets, ce qui met ainsi en lumière d'importantes caractéristiques de la relation. Plus un aspect est rapproché, plus important sera son effet. Ainsi, une conjonction Mars/Uranus qui a moins d'un degré d'écart est sensiblement plus influente qu'une conjonction avec un écart qui se situe à plus de sept degrés.

Les astrologues ne s'entendent pas sur la valeur de l'orbe (2) admissible en synastrie, mais admettent cependant qu'elle devrait être moindre que dans un thème de naissance. Bien que les orbes

---

2. L'écart en degrés à l'intérieur duquel l'aspect est considéré comme valable.

122

qui sont suggérées ici puissent sembler quelque peu généreuses, l'expérience a démontré que des aspects plus écartés ont encore un effet (bien qu'un peu moins important). Il est donc raisonnable d'allouer un écart de 7° pour la conjonction, 6° pour le carré, l'opposition et le trigone, 4° pour le sextile, 2° pour le quinconce et 1° pour les aspects mineurs. L'utilisation d'écarts sensiblement plus importants, tel que je le suggère, va naturellement produire de nombreux interaspects, ce qui, on peut le comprendre, risque de confondre l'étudiant et particulièrement le néophyte. En réduisant l'orbe de moitié — 5° pour la conjonction, 4° pour le carré, l'opposition et le trigone, 3° pour le sextile et 1° pour tous les autres aspects —, il reste moins d'aspects à considérer. Or, les aspects qui restent sont les plus forts et, par conséquent, ils constituent les "forces" les plus dynamiques au sein de la relation. À la figure 16, on a dressé une liste des aspects les plus rapprochés et les plus influents de façon à en faciliter l'étude. Les astrologues se permettent parfois certaines licences (particulièrement en ce qui concerne la viabilité des aspects), mais jusqu'à temps de bien connaître l'astrologie, il vaut mieux utiliser des orbes moins écartées.

La première chose à considérer dans un aspect est la nature fondamentale des planètes en cause. Des sextiles et des trigones harmoniques (comme parfois des conjonctions et des oppositions) ont tendance à faire ressortir les qualités positives de la combinaison, alors que le carré, l'opposition et le quinconce indiquent inévitablement un problème entre les deux principes concernés. La conjonction entre les planètes de deux sujets constitue le plus fort contact de tous, mais parfois le plus insignifiant interaspect semi-sextile peut mettre en branle une configuration majeure dans un autre thème (si l'aspect est assez peu écarté). Il est donc important de bien étudier les aspects.

Des individus nés au cours de la même année devraient avoir des aspects identiques entre les planètes les plus lentes, de sorte que la planète Pluton de l'un en conjonction avec la planète Pluton de l'autre sanctionne le principe global de cette planète. Toutefois, si, pour un sujet, Pluton est en conjonction avec la Lune du partenaire, cela a des implications beaucoup plus importantes et beaucoup plus personnelles. En l'occurrence, l'énergie intense de Pluton (chez l'un des sujets) agit en réciprocité avec les sentiments et le comportement instinctif (la Lune) de l'autre. Ainsi, le sujet plutonien est susceptible de déclencher une importante réaction émotive chez le sujet lunaire, ou encore de le manipuler et de le dominer. D'autres éléments doivent en outre être considérés. Saturne, Uranus, Neptune, Pluton et parfois Jupiter seront sensiblement aux mêmes positions dans les deux thèmes. C'est ainsi que si ces planètes forment des aspects avec des planètes personnelles dans un thème ou des pointes dans un autre, elles renforcent le potentiel natal des aspects, comme nous l'avons déjà vu. Quand deux ou trois années séparent les partenaires, le même facteur ne s'appliquera pas (sauf peut-être pour Pluton et Neptune), de sorte que n'importe quel interaspect est susceptible de produire des effets plus importants.

Tous les interaspects ont de toute évidence un rôle à jouer en synastrie, mais certains d'entre eux sont plus significatifs que d'autres et prédomineront donc. On a parlé au chapitre 4 de l'importance des axes ascendant/descendant et MC/FC; or, des aspects à ces endroits ont *toujours* une signification au sein des relations. L'aspect qui se forme entre le maître de l'ascendant (ou du descendant) d'un partenaire et le maître de l'ascendant (ou du descendant) de l'autre revêt une grande importance. De fait, si les deux planètes concernées sont en trigone et en sextile (et parfois en opposition et en conjonction, tout dépendant des planètes elles-mêmes (3), cela constitue un excellent indice de bonheur et de compatibilité pour les partenaires. Quand les deux planètes sont en carré ou en quinconce, le contact garde sa signification mais s'avère moins favorable. On peut ne pas trouver d'aspects entre les maîtres d'aucun de ces deux points mais, comme cette zone est primordiale au sein des relations, le jeu s'établissant ici entre les signes et les planètes a une très grande influence sur l'attirance et la compatibilité. Par exemple, un partenaire peut avoir le Sagittaire ascendant et l'autre Uranus en conjonction avec l'ascendant; l'un peut avoir le descendant à la Vierge et l'autre avoir le Soleil dans ce signe. Dans son ouvrage: *How to Handle your Human Relations*, Lois Sargent couvre amplement ces types de permutations.

---

3. Par exemple, Vénus et Jupiter sont des thèmes compatibles même quand la tension s'installe entre les deux, alors qu'il peut être difficile de trouver une harmonie entre Mars et Saturne.

L'harmonie parfaite n'existe pas. Les aspects discordants et peu commodes sont *inévitables* dans un couple, tout comme le sont les aspects harmonieux; chaque relation doit donc être jugée selon ses éléments propres et on doit tenir compte des besoins individuels ainsi que des circonstances. Quand prédominent cependant les aspects difficiles, il est peu probable que la relation amoureuse s'intensifie, bien qu'elle puisse perdurer.

L'équilibre entre aspects maléfiques et bénéfiques dans un couple peut être évalué par l'examen des aspects significatifs apparaissant dans la grille des interaspects (figure 16); un crochet indique les aspects bénéfiques, un X les aspects maléfiques et un astérisque les aspects incertains. On a donc 19 aspects maléfiques, 22 aspects bénéfiques et 11 aspects incertains mais de moindre importance. Les attributs des planètes elles-mêmes déterminent les caractères bénéfiques ou maléfiques d'un aspect, ce qui se voit mieux par un exemple: la planète Vénus d'Hitler est en carré avec le Soleil d'Eva Braun mais, comme ces deux principes sont en soi sympathiques, on peut considérer que l'aspect est contraignant mais non entièrement défavorable à la relation. Dans ce cas, le contact entre Vénus et le Soleil suggère que le tempérament fondamental d'Eva Braun ne s'accordait guère avec l'idéal érotique d'Hitler; il peut en outre y avoir eu des différences au niveau de leur héritage culturel et social. En fait, l'art avait une importance suprême dans la vie d'Hitler alors qu'Eva Braun se préoccupait beaucoup moins des réalités culturelles et artistiques. Au fil de leur relation, cependant, Eva fit un effort considérable pour parfaire ses connaissances dans ce domaine.

Les contacts Soleil/Vénus entre partenaires (particulièrement dans les cas de conjonction, de trigone, de sextile et d'opposition) sont d'excellents indicateurs du degré d'attirance et d'affection. En effet, un des indicateurs du parfait partenaire est la chute du Soleil de la femme sur la planète Vénus de l'homme (et vice versa). Même le quinconce plus contraignant et les carrés entre ces deux planètes sont susceptibles d'indiquer l'attirance mais, dans ce cas, elle s'accompagne d'une difficulté à trouver l'équilibre dans la relation. Une autre indication du parfait partenaire est quand le Soleil de l'homme tombe sur la planète Mars de la femme (et vice versa). Dans le thème d'une femme, Mars (et le Soleil) indique

Figure 16:

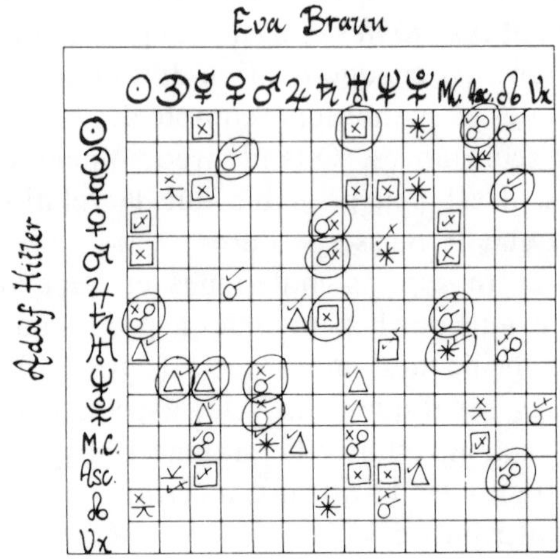

Eva Braun / **Adolf Hitler** (synastry grid)

Adolf

Lui ☉ □ elle ♀
□ elle ♅ (en deça de 27 min.)
⚹ elle ♇
♂ elle Desc.

Lui ☽ ♂ elle ♀
⚹ elle Asc.

Lui ☿ □ elle ♀
□ elle ♇
⚹ elle ♇
♂ elle ☊

Lui ♀ ♂ elle ♄
□ elle M.C.

Lui ♂ ♂ elle ♄
□ elle M.C. (en deça de 4 min.)

Lui M.C. ☍ elle ♅
□ elle Asc.

Lui Asc. □ elle ♅
□ elle ♇
△ elle ♇
☍ elle ☊

Lui ☊ ⚹ elle ♄
♂ elle ♇

Eva

Elle ☉ □ lui ♀ (en deça de 1½ degré)
□ lui ♂
☍ lui ♄
△ lui ♅

Elle ☽ ⊼ lui ☿
△ lui ♇

Elle ☿ △ lui ♇
□ lui Asc.

Elle ♀ ♂ lui ♃ (en deça de 16 min.)

Elle ♂ ♂ lui ♇
♂ lui ♇
⚹ lui M.C.

Elle M.C. ♂ lui ♄
⚹ lui ♅

Elle Asc. ⊼ lui ♇ (♂ la cuspide de la maison 8)

Elle ☊ ☍ lui ♅
♂ lui Desc.

(entre autres choses) les qualités qu'elle recherche chez un homme. Quand le Soleil d'un homme tombe sur la planète Mars (ou le Soleil) de la femme, c'est qu'il répond parfaitement aux besoins de cette dernière; il en est de même pour Vénus (et la Lune) dans le thème d'un homme. Les interaspects du Soleil et de Mars ne sont pas toujours parfaits, cependant. Comme on peut le constater dans la grille des interaspects (la figure 16), la planète Mars d'Hitler est en carré avec le Soleil d'Eva Braun; il s'agit là d'un contact violent entre deux individus et qui met en cause les attributs exigeants, impératifs de la planète Mars d'un sujet, attributs qui viennent en conflit avec l'expression de l'autre. Bien qu'il puisse être extrêmement difficile de concilier les aspects contraignants qui existent entre la planète Mars d'un sujet et le Soleil d'un autre, les aspects harmoniques, eux, sont hautement bénéfiques. Le sextile et le trigone entre le Soleil et Mars indiquent que le dynamisme des partenaires se complète, de sorte que l'action conjuguée des deux est très profitable et atténue la compétitivité et les querelles.

Les signes occupés par le Soleil et la Lune dans chaque thème astral et l'échange qui s'établit entre eux constituent un autre aspect important de la comparaison de thèmes. On devrait tenir grand compte des éléments et des qualités en ce qui touche les contacts entre le Soleil et la Lune dans un couple, fussent-ils des contacts Soleil/Soleil, Soleil/Lune, Lune/Lune et ce, à cause de l'importance de ces deux planètes, même si aucun véritable aspect n'est formé.

Le Soleil

Les deux Soleils témoignent de l'action extérieure du couple. Des aspects qui se forment entre le Soleil d'un partenaire et les planètes de l'autre indiquent la façon dont ce dernier supporte et respecte le partenaire en tant que personne et la façon dont il l'encourage et sympathise avec ses objectifs et son tempérament. Deux Soleils dans des signes harmoniques témoignent d'une compatibilité, mais le fait qu'ils tombent sur des signes discordants ne constitue pas l'obstacle le plus important à la relation. Comme nous l'avons vu au chapitre 1, il existe une réelle attirance entre signes antithétiques de même qualité et, hormis que les deux personnalités s'affrontent à l'occasion, l'apparition de conflits véritables sera évitée si des liens harmonieux existent entre les partenaires. Bien sûr, si de nombreux problèmes se déclarent dans la relation, des Soleils disparates constituent alors un net désavantage.

Les soleils d'Hitler et d'Eva Braun étant dans des signes fixes, l'entêtement et l'intransigeance étaient deux attributs qu'ils se partageaient. En tant que Verseau, Eva était détachée et imprévisible alors que la nature de type Taureau d'Hitler était plus réservée et persévérante. Quand des Soleil sont en carré l'un par rapport à l'autre ou en signes carrés, les sujets sont perpétuellement à la recherche de buts contraires. Mais, à la condition qu'il existe d'autres aspects harmoniques reliés au Soleil et à la Lune, ceci ne constitue pas un obstacle insurmontable au bonheur. Les Soleils en opposition attirent ou repoussent alors que le sextile et le trigone témoignent de tempéraments équilibrés qui recherchent l'harmonie.

Le Soleil et la Lune

Les contacts entre les Soleils et les Lunes de deux sujets sont des indicateurs privilégiés de la compatibilité psychologique et affective fondamentale existant au sein du couple. La réceptivité féminine de la Lune complète naturellement le Soleil en tant que principe masculin "dominant". En fait, l'aspect le plus propice à l'harmonie dans un couple est quand la Lune de la femme est en conjonction avec le Soleil de l'homme et, à l'opposé, quand la Lune de l'homme est en conjonction avec le Soleil de sa partenaire (4). La conjonction est évidemment l'aspect le plus puissant, mais un sextile resserré ou un trigone entre le Soleil d'un partenaire et la Lune de l'autre sont susceptibles d'indiquer l'attirance, l'harmonie et la compatibilité. Les signes où se trouvent le Soleil et la Lune sont des facteurs extrêmement importants. Même si aucun véritable aspect ne se forme entre ces deux planètes, les échanges entre

---

4. Par suite de son intérêt marqué pour l'astrologie, Carl Gustav Jung étudia les thèmes de naissance de cinq cents couples afin de vérifier l'exactitude de ces aspects traditionnels. Chez un grand nombre d'entre eux, le Soleil était en conjonction avec la Lune, la Lune était en conjonction avec la Lune ou la Lune était en conjonction avec l'ascendant. Il consigna ses découvertes dans une monographie intitulée *La Synchronicité, un principe relationnel acausal (Synchronicity — An Acausal Connecting Principle)*.

signes, éléments et qualités éclairent amplement la relation. Si le Soleil d'un partenaire est dans un signe d'air et que la Lune de l'autre se trouve dans un signe d'air ou de feu, même en l'absence d'un aspect exact, les signes et éléments peuvent être perçus comme complémentaires. *Dans notre exemple de comparaison de thèmes, aucun aspect ne s'est constitué entre le Soleil et la Lune d'Eva Braun et d'Hitler, pas plus qu'il n'y a d'aspect entre les deux Soleils et les deux Lunes. Toutefois, la Lune d'Eva Braun dans la Vierge fait complément au Soleil terrien de type Taureau d'Hitler, indiquant une certaine compatibilité.*

L'opposition du Soleil de l'un et de la Lune de l'autre agit fréquemment comme mécanisme d'attraction au sein du couple mais le carré, bien qu'il constitue un important élément d'attraction au début, cause invariablement des embarras plus tard. Un Soleil en carré avec la Lune du partenaire peut déterminer chez lui une tendance dominatrice ou une insensibilité alors que le sujet solaire trouvera que son partenaire lunaire est trop sensible et émotif. Ceci rappelle le dilemme du couple feu/eau dont nous avons parlé au chapitre 2.

Le Soleil et Uranus, Neptune et Pluton

Les aspects des planètes supérieures d'un partenaire communiquant avec le Soleil de l'autre sont toujours intéressants et donnent lieu à des effets importants. Les contacts d'Uranus donnent souvent lieu à de brusques attractions magnétiques (particulièrement des conjonctions). Uranus exerce une forte attirance sur le Soleil; ainsi, le partenaire dont Uranus forme un aspect avec le Soleil de l'autre lui présente un défi et suscite son éveil; cependant, s'il y a un excès de contacts d'Uranus, la relation risque de s'avérer imprévisible et peu durable. Un natif dont le Soleil forme un aspect avec le Neptune d'un partenaire est souvent captivé par celui-ci, qui l'inspire et le charme. Neptune peut indiquer l'existence d'un profond sentiment spirituel entre deux personnes, mais il ne faut pas oublier que l'autre face de cette planète présente la déception et la confusion, de sorte que le partenaire neptunien peut laisser tomber l'autre ou même miner son amour-propre et sa confiance. Les contacts du Pluton d'un sujet avec le Soleil d'un autre sont profonds et dérangeants; le partenaire plutonien stimule fortement l'évolution du natif solaire tant au plan intérieur que sur le plan extérieur. Comme tout contact plutonien avec une planète personnelle a tendance à être un tant soit peu intense, ces contacts élèvent considérablement le niveau de la relation ou indiquent la présence de conflits au plan du moi et de luttes de pouvoir.

Dans l'exemple d'interaspect, on peut voir que l'Uranus d'Eva Braun forme un carré parfait par rapport au Soleil d'Hitler, alors que l'Uranus d'Hitler forme un trigone avec celui d'Eva. Ceci suggère que, dans le cas d'Eva, Hitler éveilla son potentiel créateur et fit émerger de nouvelles dimensions de sa personnalité. Elle aurait pu conséquemment s'épanouir au sein de cette relation. Toutefois, comme l'Uranus d'Eva Braun forme un aspect tendu par rapport au Soleil d'Hitler, on constate que son tempérament imprévisible (par suite de son Soleil au Verseau et de son trigone Lune/Uranus) créa des tensions et des mouvements d'impatience chez Hitler, ce qui aurait bien pu nuire en fin de compte à son image de chef. Le Pluton d'Eva Braun, cependant, vient contrer certaines de ces tendances au débordement émotif en formant un sextile harmonique avec le Soleil d'Hitler. Ceci indique qu'Eva Braun pourrait bien avoir stimulé les ambitions d'Hitler et l'avoir encouragé à croire à ses visions et à développer son pouvoir personnel!

La Lune et la Lune

Pour ce qui est du mariage ou de toute association affective prolongée, la plus importante relation planétaire à considérer est celle des Lunes respectives. La Lune est instinctive et sensible; elle indique la façon dont l'individu perçoit les choses. Elle symbolise également l'inconscient et les modèles affectifs profonds. Quand les deux Soleils sont dans des signes conflictuels, les deux sujets peuvent avoir des affrontements de personnalité; ceux-ci sont cependant extériorisés et donc plus faciles à contrôler. Il en est tout autrement des Lunes si elles se trouvent dans des signes conflictuels ou constituent un aspect maléfique. Quand cela se produit, aucun des partenaires ne se sent "à l'aise" avec l'autre. Il n'y a aucune réponse affective de la part du partenaire et, parce que ceci constitue une expérience entièrement subjective et irrationnelle pour chaque partenaire, aucune discussion, aucun raisonnement ne sauraient modifier la situation. Quand les Lunes sont en conjonction et même quand elles occupent le même signe, les partenaires sentent qu'ils "appartiennent" l'un à l'autre. Avec des signes compatibles de Lune et des aspects harmoniques entre les Lunes, il sera plus facile de procéder à des ajustements au sein de la relation. *Si nous retournons à notre exemple, nous constatons que la Lune d'Hitler et la Lune d'Eva Braun, bien qu'elles ne soient pas en trigone l'une par rapport à l'autre, n'en sont pas moins dans des signes harmoniques de terre, ce qui témoigne d'une certaine harmonie et d'une adaptabilité réciproque. Ainsi, sous la complexité de leur relation, se cachait beaucoup de sympathie et d'entente réciproque.*

Dans le cadre de mon travail d'astrologue, j'ai vu des couples harmonieux qui, parce que les Lunes avaient un aspect négatif l'une par rapport à l'autre et étaient dans des signes conflictuels, ne ressentaient jamais de plénitude ensemble, et, de la même façon, des couples qui devaient faire face à de nombreux interaspects négatifs et qui avaient dû affronter de nombreux problèmes dans leur vie de couple, mais qui ressentaient néanmoins, quand leurs Lunes étaient en conjonction, un lien affectif profond et solide.

Le lien le plus puissant, et de loin, s'établit entre les Lunes quand elles sont en conjonction et dans le même signe. Au plan circonstanciel, ceci indique qu'instinctivement les partenaires s'adaptent l'un à l'autre, s'accordent et coopèrent ensemble. Il existe cependant des implications plus profondes. La Lune symbolise le passé et les souvenirs que nous gardons profondément enfouis dans notre inconscient. Bien que des Lunes en conjonction ou situées dans le même signe témoignent du sentiment de partager une origine ou un passé communs, ces origines peuvent déborder les limites de la vie actuelle. Certains astrologues pensent que les partenaires dont les Lunes sont conjointes (ou sont dans le même signe) ont entretenu une relation dans une existence antérieure et que ce sentiment d'appartenance, de coup de foudre, de reconnaissance instantanée et de familiarité, plonge ses racines dans un passé lointain.

Des Lunes en opposition peuvent indiquer des divergences au niveau des modèles affectifs et, en général, au plan des sentiments;

une grande compatibilité s'exprime cependant, de même qu'il y a une grande quantité d'échanges réciproques. Le carré et le quinconce suscitent la mésentente et un malaise affectif entre sujets. À moins qu'il n'y ait des aspects bénéfiques entre la Lune et Vénus, les partenaires peuvent être insensibles l'un à l'autre et manifester de l'irritabilité et une tension émotive.

La Lune et Mercure

Une des relations les plus profitables en synastrie est celle entre la Lune d'un sujet et la planète Mercure de son partenaire. Une conjonction entre la Lune et Mercure est encore meilleure qu'entre deux planètes Mercure, mais pas aussi puissante qu'une conjonction Lune/Lune. La Lune et Mercure indiquent une compréhension instinctive entre deux individus et un aspect harmonique entre ces deux planètes contribue grandement à l'harmonie et à la pérennité de la relation, spécialement quand sont présents d'autres interaspects très défavorables. L'opposition s'exprimant entre la planète Mercure d'un sujet et la Lune d'un autre peut indiquer que ce dernier trouve son partenaire trop enclin à rationaliser ses sentiments plutôt qu'à les exprimer spontanément. Parfois, cet aspect peut instiller beaucoup de créativité chez le partenaire lunaire. Avec le carré et le quinconce entre Mercure et la Lune, le partenaire mercurien peut ne pas tenir compte des humeurs et des sentiments du sujet lunaire et même le critiquer ouvertement, instillant chez lui un sentiment d'insécurité ainsi que de la nervosité et de l'hypersensibilité. *Ainsi, dans l'exemple d'Hitler et d'Eva Braun, le quinconce rapproché entre la planète Mercure d'Hitler et la Lune d'Eva Braun contribua très peu à atténuer leurs grandes différences d'opinion, tel que le révèlent leurs aspects mercuriens respectifs. En vérité, Hitler était de toute évidence insensible aux sentiments d'Eva comme en témoigne son refus de reconnaître officiellement son statut. Par ce manque de compréhension, il la faisait se sentir rejetée, peu sûre d'elle et dénuée d'importance, facteurs qui influèrent sans doute sur les tentatives de suicide d'Eva.*

La Lune et Vénus

Dans le mariage ou dans quelque relation amoureuse que ce soit, des aspects favorables s'établissant entre les planètes féminines constituent un facteur considérable de succès. La conjonction, le sextile et le trigone contribuent à l'amour et à l'entraide réciproques. En fait, des aspects harmoniques entre la Lune et Vénus sont des indices valables d'un heureux mariage. Même quand il existe ailleurs des interaspects extrêmement néfastes, cette combinaison amoureuse et douce de planètes contribue grandement à résorber conflits et mésententes. L'opposition entre ces deux planètes peut indiquer une grande attirance et un lien amoureux entre deux individus, mais le carré et le quinconce peuvent amener une certaine maladresse dans l'expression des sentiments partagés. Cependant, comme pour les interaspects "durs" du Soleil et de Vénus, ceux qui se trouvent entre la Lune et Vénus ne nuiront pas sérieusement à la relation, à moins qu'il y ait beaucoup d'affliction autre part.

Dans le cas d'Hitler et d'Eva Braun, un des facteurs les plus encourageants de leur relation était la conjonction de la Vénus d'Eva avec la conjonction Lune/Jupiter d'Hitler. Cela témoigne de beaucoup d'affection mutuelle, de sympathie et même de bonheur. En vérité, cet aspect vient contrer de nombreux contacts défavorables dont nous reparlerons bientôt et explique pourquoi leur relation se poursuivit jusqu'à leur mort, soit durant seize ans.

La Lune et Mars

Les interaspects de la Lune et de Mars peuvent stimuler l'attirance sexuelle dans un couple; cependant, cette combinaison risque de susciter arguments et mésententes, particulièrement s'ils sont en carré ou en quinconce. Le partenaire dont Mars forme un aspect avec la Lune de l'autre risque d'avoir trop d'exigences affectives vis-à-vis du sujet lunaire et, bien ou mal, le partenaire martien éveille les sentiments du premier. Les contacts de Vénus et de Mars semblent pouvoir influer davantage sur le plan physique de la relation tandis que la Lune est peut-être un peu trop sensible et aisément blessée par la nature "bousculante", désirante, de Mars. Ceci peut amener le sujet lunaire à rejeter délibérément toute avance sexuelle de la part du martien. Cette conjonction agit particulièrement sur le plan de l'échange physique; le sextile et le trigone favorisent la coopération dans les activités conjointes.

La Lune et Uranus, Neptune et Pluton

Les contacts Lune/Uranus donnent lieu à beaucoup d'attirance au niveau du couple. Le partenaire uranien fascine et excite le Lunaire et suscite un accroissement de son expression affective. Comme pour tous les contacts de cette planète supérieure avec des zones personnelles et avec des planètes d'un autre natif, vos chances de nouer des liens affectifs par l'utilisation de moyens nouveaux et inusités sont annulées par les tendances excentriques d'Uranus. La personne dont la Lune est en carré, en quinconce, en opposition ou en conjonction par rapport à l'Uranus de son partenaire peut se sentir dans un état permanent de tension en présence de ce dernier. Par petites doses, Uranus stimule considérablement la relation, mais son caractère difficile a tendance à se faire sentir à la longue. Bien qu'un carré Lune/Uranus entre partenaires soit peu susceptible de causer un embarras majeur au sein de la relation, ce contact, s'il est accompagné de nombreux autres interaspects uraniens, devrait commander aux partenaires de prendre leur distance l'un vis-à-vis l'autre et peut-être de se séparer temporairement, à défaut de quoi des différents pourraient surgir.

Des contacts Lune/Neptune devraient susciter l'harmonie psychique dans le couple. Le partenaire neptunien saisit intuitivement les humeurs et les réactions de l'autre; c'est pour cette raison que le sujet lunaire risque de développer une très grande dépendance affective vis-à-vis du premier. La conjonction est le meilleur indice de l'existence d'un lien psychique; cependant, tous les aspects associés à Neptune constituent un tel indice. Neptune risque évidemment d'être insaisissable et tortueux, de sorte qu'avec le carré, l'opposition, le quinconce et parfois la conjonction, il est possible que le partenaire neptunien suscite mésententes et déception.

Les interaspects Lune/Pluton peuvent s'avérer constructifs ou destructifs, tout dépendant du type de sujets concernés. Le partenaire plutonien est capable de toucher profondément le sujet lunaire, ce qui peut le métamorphoser comme le traumatiser. Le carré, le quinconce, l'opposition (et parfois la conjonction) peuvent indiquer que le partenaire plutonien est fortement possessif à l'égard du sujet lunaire et manipulateur sur le plan affectif. Le trigone et le sextile favorisent davantage les caractéristiques transformatrices de cette combinaison.

Le couple Hitler/Eva Braun présente un trigone favorable créé par le lien du Neptune d'Hitler avec la Lune d'Eva Braun. Ceci constitue certes un indice du lien psychique unissant ces deux sujets et d'une compréhension intuitive de leurs besoins réciproques, dont nous avons parlé plus haut. De plus, le Neptune d'Hitler forme un grand trigone avec la Lune d'Eva Braun à 26° 19' du Capricorne, de sorte que même si le Neptune d'Hitler se trouve dans un signe d'air (tandis que la Lune et la planète Mercure d'Eva sont dans un signe d'eau), il y a malgré tout une forte indication de sympathie mutuelle et de tendresse entre eux deux.

Vénus et Mars

En comparaison de thèmes, des aspects entre Vénus et Mars, et entre d'autres planètes et l'une d'elles, rendent compte du fonctionnement de la relation et de la façon dont affection et désirs se fondent ensemble et se font complémentaires l'un par rapport à l'autre. L'existence de conjonctions, de trigones et de sextiles entre ces deux planètes augure bien pour ce qui est des échanges physiques et sexuels dans le mariage. La personne dont la planète Mars forme un aspect avec la planète Vénus de son partenaire pourrait bien stimuler, par le biais de ses désirs pressants, la nature amoureuse de ce dernier; elle pourrait cependant être un peu trop possessive et insistante. Quand se présentent le carré, l'opposition ou le quinconce entre la planète Vénus de l'un et la planète Mars de l'autre, il y a habituellement presque autant d'attirance physique entre les partenaires. En vérité, les désirs du partenaire martien risquent même d'être encore plus forts qu'avec la présence d'aspects plus harmoniques. Cependant, une certaine brusquerie et de la rudesse de la part du martien peuvent attirer aussi bien que repousser le sujet vénusien. Parfois, des aspects défavorables s'établissant entre ces deux planètes suscitent tensions et conflits, voire de l'infidélité au sein de la relation.

*Dans le cas d'Hitler et d'Eva Braun, on constate la présence
d'un très grand trigone entre la planète Vénus des deux thèmes
de même qu'entre la planète Mars d'Hitler et la planète Vénus
d'Eva Braun. Si les aspects avaient été plus rapprochés, on aurait
pu croire que la dimension physique de leur relation avait de quoi
les assouvir et les satisfaire mutuellement. Comme toutefois les
deux aspects sont écartés (un écart d'environ 8°) et en dépit du fait
qu'il existe un indice certain de compatibilité physique (tous les
facteurs concernés sont dans des signes de terre), la conjonction
Vénus/Mars d'Hitler se trouve restreinte par la planète Saturne
d'Eva Braun. De sorte qu'il est plus probable que le côté physique
de leur relation était peu satisfaisant et peut même avoir été à
l'origine de beaucoup de frustrations et de peine. (Une explication
ultérieure et plus détaillée des contacts entre Saturne, Vénus et
Mars devrait mieux faire comprendre cet aspect de leur relation.)*

Vénus et Uranus, Neptune et Pluton

Des aspects entre la planète Vénus d'un partenaire et
l'Uranus de l'autre ne vont pas sans exciter la relation. Bien que les
contacts uraniens ne soient pas précisément un facteur stabilisant,
Uranus a la faculté d'exciter toute planète avec laquelle elle forme
un aspect. Ainsi, Uranus stimule la nature amoureuse de Vénus et,
hormis qu'elle suscite de cette façon la créativité et l'originalité,
cette combinaison souligne souvent qu'il y a une certaine bizarrerie
dans la relation. Les aspects harmoniques s'établissant entre
Uranus et Vénus, voire la conjonction et l'opposition, soulignent
probablement une grande attirance entre deux individus et une
grande importance attachée au romanesque et à l'exaltation. Le
carré et le quinconce (parfois aussi l'opposition et la conjonction)
donnent cependant lieu à des tensions; il est en outre possible que
le sujet uranien soit un peu trop aventureux sur le plan sexuel pour
le partenaire vénusien. L'opposition, le quinconce et le carré
risquent d'accroître les tendances à l'instabilité et à l'infidélité.
Avec de nombreux contacts uraniens au sein du couple, il doit y
avoir beaucoup plus d'éléments stabilisateurs au niveau de la
relation; par ailleurs, des contacts contraignants Vénus/Uranus, y

compris la conjonction, peuvent indiquer une relation brève et erratique.

Les interaspects de Neptune et Vénus ont une influence vivifiante et portent à la sensibilité et au romanesque. Le partenaire neptunien peut faire de grands sacrifices au profit du partenaire vénusien et lui témoigner un vif dévouement. Le trigone et le sextile font ressortir les meilleures qualités de cette dyade; cependant, il faut faire attention à la conjonction, au carré et à l'opposition. Avec la présence de ces derniers aspects, le partenaire dont la planète Neptune contacte la planète Vénus de l'autre risque au début de le captiver — Neptune est très brillante et fascinante aux yeux de Vénus — mais le partenaire neptunien peut également désappointer et décevoir. En amour, le couple peut atteindre l'extase, particulièrement quand Neptune et Vénus sont impliqués dans une double alternance (la Vénus de A formant aspect avec le Neptune de B et la Vénus de B formant aspect avec le Neptune de A). Ces contacts, qui ressemblent à ceux qui s'établissent entre la Lune et Neptune, peuvent donner l'impression d'avoir communiqué avec l'âme soeur.

Tous les contacts plutoniens avec les planètes personnelles doivent être étudiés avec attention. La nature extrémiste de Pluton, apte à transformer et à pénétrer, peut élever ou dégrader la nature amoureuse de Vénus. Ainsi, des individus ayant des interaspects Vénus/Pluton peuvent participer à une intense et profonde relation qui satisfera et enrichira les deux partenaires, tandis que d'autres subiront d'intenses cruautés et des traumatismes. La conjonction, le carré et l'opposition peuvent induire chez le sujet plutonien une possessivité démesurée et une propension à manipuler le partenaire vénusien, qui risque à son tour de trouver celui-ci vulgaire, difficile à comprendre et même dégénéré. Les contacts de Vénus et de Pluton posent particulièrement des problèmes sur le plan sexuel de la relation, alors que le plutonien peut forcer le partenaire vénusien à se plier à ses fantaisies. Des aspects harmoniques Vénus/Pluton indiquent une grande attirance physique. Il est peu probable que l'infidélité soit tolérée au sein de la relation, particulièrement de la part du partenaire plutonien, bien qu'à ce chapitre ce dernier puisse penser qu'une contrainte s'exerce sur lui.

Mars et Uranus, Neptune et Pluton

Des aspects d'Uranus d'un partenaire à l'autre constituent un problème beaucoup plus considérable que ceux qui s'établissent entre Vénus et Uranus. Le sujet uranien peut encourager son partenaire martien à "en faire à sa guise" mais, à moins que cet aspect ne soit un trigone ou un sextile, cela peut empêcher les compromis ou l'entente réciproque. L'opposition et le carré peuvent susciter beaucoup d'intolérance et d'irritabilité au sein du couple, de même que de nombreux bouleversements majeurs et des querelles violentes. La conjonction (et dans une mesure moindre, l'opposition) de l'Uranus d'une personne avec la planète Mars de l'autre risque d'accroître considérablement la pulsion sexuelle, mais ceci peut également dégénérer en guerre ouverte. À la condition qu'il existe d'autres aspects plus apaisants au sein du couple, peut-être une gentille paire Lune/Vénus ou Vénus/Jupiter, les aspects Mars/Uranus stimuleront leur sexualité. Comme pour tout interaspect uranien difficile, les partenaires doivent périodiquement prendre leur distance l'un par rapport à l'autre.

Les interaspects Mars/Neptune posent presque toujours des difficultés, sauf quand le couple est engagé dans une entreprise neptunienne ou qu'il y a partage d'intérêts neptuniens (dans des domaines comme la médecine ou les arts à caractère allégorique: art dramatique, peinture, musique, etc.). L'action de Neptune sur les forces et les désirs martiens est subtile, débilitante et corrosive, en dépit du fait que le sextile et le trigone peuvent indiquer de la sympathie et de l'encouragement de la part du partenaire neptunien à l'égard des demandes du sujet martien et ce, dans le but, peut-être, de l'appuyer intuitivement. Cependant, la conjonction, l'opposition, le quinconce et le carré peuvent saper la confiance en soi du sujet martien ou l'induire en erreur. Parfois aussi, les aspects les plus difficiles peuvent porter le sujet martien à accroître les soucis du partenaire neptunien en stimulant trop fortement son imagination. Si les thèmes des deux personnes impliquées ont déjà une forte dominante neptunienne, l'influence additionnelle de Mars et Neptune dans les thèmes conjugués risque d'amener la confusion et la mésentente à propos de sujets conjoints ou de la relation des partenaires.

Quand la planète Pluton d'un partenaire forme un aspect avec la planète Mars de l'autre, le premier a tendance à se sentir menacé par la vitalité du sujet martien. Ainsi, le partenaire plutonien peut vouloir imposer son autorité sur le sujet martien qui, naturellement, se rebelle. Les contacts Mars/Pluton donnent souvent lieu à des affrontements physiques, particulièrement dans les cas de carré et d'opposition, alors que le sextile ou le trigone, et parfois la conjonction, peuvent ramener l'harmonie. Les contacts Mars/Pluton, tout comme ceux de Vénus et de Pluton, ont une forte connotation sexuelle, de sorte que les interaspects indiquent le niveau et l'intensité de l'attirance physique entre partenaires. Les forces plutoniennes ne doivent être relâchées qu'en petites quantités, leur intensité risquant de causer des dommages et même de détruire la relation.

L'exemple montre qu'il n'existe aucun interaspect avec Uranus, Neptune et Pluton. Cependant, le Neptune d'Hitler forme une conjonction étroite avec le Mars d'Eva Braun, alors que le Neptune de cette dernière forme un large sextile avec la planète Mars d'Hitler. Aucun des deux n'était versé dans l'art du compromis et on a vu en outre que le carré Soleil/Vénus d'Hitler et d'Eva Braun démontre des inclinations culturelles et artistiques divergentes. Les interaspects Mars/Neptune pourraient probablement indiquer un intérêt partagé pour le mysticisme. Hitler a-t-il consulté un astrologue au temps où il était au pouvoir? Les réponses divergent d'autant plus que l'astrologie fut officiellement condamnée en Allemagne en 1941. Toutefois, l'usage de la swastika, qui est un symbole ésotérique, et le fait que quelques-uns des proches d'Hitler (y compris Goebels) s'intéressaient à l'occultisme, portent à croire qu'il ne s'intéressait pas qu'en dilettante à ces domaines. Il serait donc possible qu'Eva Braun ait favorisé, grâce à l'intuition, les croyances de même que les ambitions de ce dernier. La planète Neptune d'Hitler sur la planète Mars d'Eva Braun forme un aspect rapproché, qui exerce donc une plus grande "influence". Le partenaire neptunien peut, aux yeux du partenaire martien, s'avérer très décevant et évasif, ce qui est démontré ici par le fait qu'Hitler se déroba au mariage jusqu'au dernier moment. Peut-être cependant devons-nous conclure qu'il empêcha Eva d'agir comme elle l'entendait; la présence d'Hitler peut lui avoir fait perdre ses moyens et l'avoir embrouillée ainsi qu'il arrive très souvent au cours de contacts Neptune/Mars.

Mercure

La communication est essentielle à une heureuse relation. La communication peut contribuer à aplanir les problèmes, même si deux personnes ont de la difficulté à réagir à leurs sentiments ou à comprendre leurs habitudes et leurs façons d'agir réciproques. C'est ainsi que les aspects mercuriens ont une grande importance. Si les planètes Mercure de deux partenaires sont dans des signes opposés et qu'ils forment des aspects discordants, non seulement ces deux personnes vont-elles penser d'une façon complètement différente, mais leur perception proprement dite du monde divergera d'une façon radicale. Par conséquent, ces valeurs et ces façons différentes d'aborder les événements et de résoudre les problèmes amènera beaucoup de difficultés et de dissensions au sein du couple.

Bien que des planètes Mercure en opposition puissent donner lieu à des problèmes entre partenaires, un mariage où il n'y a aucun accord au niveau des décisions quotidiennes peut faire de toute situation une source de désagrément. Si les conjoints entretiennent des vues différentes, ils peuvent en faire part à l'autre, mais aucun des deux ne comprend ou ne trouve quelque valeur au point de vue de l'autre. En conséquence, chacun se ferme à l'autre et toute communication cesse. À cause des aspects cardinaux et mutables de Mercure, il y a une tendance à attaquer le conjoint et à faire des remarques acerbes à son endroit.

En comparaison de thèmes, la force et l'importance des aspects mercuriens sont souvent négligés au profit des contacts du Soleil, de la Lune, de Vénus et de Mars; on devrait toutefois porter une grande attention au contact entre les deux planètes Mercure et à celui de tout interaspect avec d'autres planètes. Les carrés entre planètes Mercure sont les plus contraignants, particulièrement dans les signes fixes, alors que l'entêtement empêche tout compromis.

Critiques et manque d'appréciation pour les idées de l'autre peuvent frustrer les deux conjoints de même que de constantes mésententes et querelles sont susceptibles de miner toute relation.

Comme Mercure n'a jamais un écart supérieur à 28° par rapport au Soleil, les carrés mercuriens affectent immanquablement les planètes solaires, ce qui ne fait qu'accroître l'inconfort. Avec un changement de signe ou une absence de conjonction entre le Soleil et Mercure, le problème est moins important. Même sans la présence proprement dite d'un carré, les planètes Mercure dans des signes opposés détermineront une manière totalement différente de penser chez chaque partenaire, à une toute petite exception près toutefois: quand les deux Mercures sont dans des signes d'air et d'eau, car ces deux éléments se partagent l'attribut de rationalité. Des Mercures en opposition peuvent stimuler la saine objectivité entre conjoints. Les conjonctions sont un excellent indice de compatibilité et indiquent que les conjoints partagent de nombreux points de vue, de sorte qu'il peut avoir beaucoup de compréhension et d'entente mutuelles.

Mercure et Uranus, Neptune et Pluton

Lorsque des aspects s'établissent entre l'Uranus ou le Pluton d'un partenaire et le Mercure de l'autre, ils ont un effet stimulant ou troublant sur le plan mental. Si Uranus est tendu par rapport au Mercure de l'autre personne, il peut mettre en lumière des différences fondamentales d'opinion. Les arguments ont tendance à surgir sans raison et le partenaire uranien peut refuser d'entendre le sujet mercurien. Un sextile harmonique et des trigones entre Mercure et Uranus indiquent sans doute une communication télépathique au sein du couple; le partenaire uranien pourrait élargir la vision du sujet mercurien et encourager la poursuite de buts peu communs.

Des sextiles harmoniques et des trigones entre Mercure et Neptune (et parfois entre la conjonction et l'opposition) témoignent également d'une certaine télépathie dans le couple. Cependant, les carrés pourraient signifier que le partenaire neptunien est enclin à se fier au sujet mercurien ou à le confondre et à l'empêcher de raisonner.

Si le Pluton d'une personne forme des aspects néfastes avec le Mercure du partenaire (carré, opposition, quinconce et parfois conjonction), celle-ci risque d'imposer ses vues et d'agir subtilement sur la pensée de l'autre. Ceci indique également une possibilité de cruauté mentale. Le sextile et le trigone peuvent cependant amener le sujet mercurien à mieux se comprendre et à modifier ses vues.

Si nous revenons à notre exemple, nous constatons que les planètes Mercure d'Eva Braun et d'Hitler sont dans des quadratures et en carré rapproché l'une par rapport à l'autre. Le carré Uranus/Mercure indique que même si Hitler trouvait Eva exaltante, elle pouvait également l'irriter et le mettre sur les nerfs. Il ne fait aucun doute qu'Hitler, avec le Soleil et Mars dans un Taureau immobile, trouvait Eva instable, sans suite dans les idées, et parfois inconstante (la Lune natale d'Eva Braun forme un trigone avec Uranus et Mercure est en conjonction avec Uranus). De plus, le Neptune d'Eva en carré avec le Mercure d'Hitler peut avoir rendu ce dernier confus. Ceci, combiné avec les planètes Mercure s'opposant elles-mêmes, peut avoir suscité la discorde et des brisures dans la communication. Les problèmes ont pu être un peu atténués par la conjonction Neptune/Pluton d'Hitler en trigone avec le Mercure d'Eva et la formation d'un sextile entre le Pluton de cette dernière et la planète Mercure d'Hitler. Les trigones Neptune/Mercure ont tendance à renforcer l'idée d'une liaison psychique entre deux individus, alors que le partenaire neptunien (Hitler) inspire et encourage le sujet mercurien (Eva) à élargir sa vision des choses. Des aspects bénéfiques de Pluton vers les deux Mercures (un aspect double) indiquent que leurs expériences conjuguées déterminèrent de grands changements dans leurs vies.

Jupiter

Les contacts de Jupiter au sein d'un couple accroissent la relation à tous les niveaux. Dans la partie réservée à Jupiter, au chapitre 4, j'ai mentionné que sans joie, sans bonne humeur et sans plaisirs, éléments typiquement jupitériens, les relations ne progresseraient guère! Le Jupiter d'une personne qui forme des aspects avec le Soleil, la Lune, les planètes Mercure et Mars d'une autre personne fait ressortir les meilleurs attributs de ces planètes. En fait, les conjonctions, les sextiles et les trigones jupitériens favorisent énormément la relation. Les partenaires qui ont de forts interaspects jupitériens se plaisent ensemble et s'apprécient, ce qui présage une heureuse et longue relation. La présence d'un ou deux aspects harmoniques peut atténuer nombre de difficultés ailleurs dans la relation.

Quand le Jupiter de l'un aspecte le Soleil de l'autre, le partenaire jupitérien accroît la confiance en soi de son vis-à-vis de même qu'il suscite un accroissement financier, matériel et spirituel du couple. On doit quand même se souvenir que Jupiter peut aussi porter aux excès, de sorte que, parfois, le partenaire jupitérien (particulièrement quand Jupiter est en opposition, en carré et en quinconce par rapport au Soleil du partenaire) essaiera d'en imposer à l'autre, faisant prévaloir ses manières extravagantes en toute occasion. Les aspects Vénus/Jupiter, Soleil/Jupiter et Lune/Jupiter accroissent la nature exubérante et amoureuse de la relation et soulignent la bonne humeur et le bonheur mutuel ressenti à travers la relation. Le partenaire jupitérien est fréquemment généreux, protecteur et indulgent à l'égard du sujet lunaire ou vénusien.

Les interaspects Mercure/Jupiter favorisent dans tous les domaines le développement mutuel, mais particulièrement au niveau des attitudes et des entreprises intellectuelles. La nature optimiste et expressive de Jupiter encourage le sujet mercurien à penser largement en termes positifs; il peut en outre y avoir intérêt conjoint pour les questions métaphysiques et religieuses. L'opposition, le carré et le quinconce témoignent d'un peu trop d'insistance de la part du jupitérien pour faire adhérer son partenaire mercurien à ses croyances et à ses idées.

Le Jupiter d'une personne contactant la planète Mars du partenaire devrait stimuler et encourager les ambitions et les désirs de ce dernier. Des conjonctions, des sextiles et des trigones entre Mars et Jupiter, de même qu'entre Vénus et Jupiter, témoignent d'une relation physique et intellectuelle heureuse et satisfaisante pour les deux partenaires. Le carré, l'opposition et le quinconce peuvent parfois mener à trop d'indulgence dans ce domaine, et Jupiter en carré avec Vénus indique une tendance chez le partenaire jupitérien à trop s'engager dans des aventures financières. Ainsi, la générosité de Jupiter se mue en extravagance et en indulgence, ce qui peut mettre en péril la relation. Le jupitérien doit être plus respectueux de son partenaire et moins imposer son point de vue dans le cadre de la relation.

Jupiter et Jupiter, Uranus, Neptune et Pluton

La conjonction, le sextile ou le trigone de la planète Jupiter de l'un avec cette même planète chez le partenaire indique une grande entente et un bonheur au niveau des idéaux, des croyances, des entreprises et des plaisirs communs. Dans le cas de l'opposition, du carré et du quinconce, même si les attitudes respectives quant à la religion, aux croyances et aux plaisirs peuvent différer grandement, celles-ci ne sont pas très préjudiciables à la relation. Cependant, si des difficultés se présentent en ce qui concerne l'harmonie des thèmes, les aspects jupitériens discordants ont tendance à accroître la disparité plutôt qu'à l'aplanir.

Uranus en carré, en opposition et en quinconce avec le Jupiter d'un partenaire a tendance à favoriser les extravagances chez ce dernier alors que le trigone, le sextile et la conjonction tendent à stimuler les intérêts philosophiques et spirituels. Le partenaire uranien peut inviter et encourager le sujet jupitérien à élargir ses horizons et, de toutes les façons possibles, son champ de perception.

Les conjonctions, les sextiles et les trigones entre le Neptune de l'un et le Jupiter de l'autre permettent aux partenaires d'être sensibles aux objectifs spirituels et religieux de l'autre. La conjonction encourage la relation au sein de laquelle les préoccupations spirituelles en général et la communication au plan spirituel sont de première importance. Le carré, le quinconce et l'opposition indiquent que le partenaire neptunien n'est sans doute pas en mesure de donner des conseils pratiques au sujet jupitérien.

Les conjonctions, sextiles et trigones permettent aux partenaires d'évoluer ensemble et de bénéficier d'une profonde compréhension mutuelle. L'opposition, le quinconce et le carré (et parfois la conjonction) indiquent un blocage possible au niveau des croyances et des idéaux, ce qui rend très difficile la coopération et l'encouragement mutuel à ce chapitre.

Au niveau des interaspects entre Hitler et Eva Braun, le Jupiter d'Hitler forme une conjonction quasi parfaite avec la planète Vénus d'Eva Braun. La relation d'Eva Braun et d'Hitler n'a pas été des plus harmonieuses (ce qui se discerne dans les carrés de Mercure et les interaspects d'Uranus, de Neptune et de Saturne entre leurs planètes personnelles); le contact Vénus/Jupiter montre cependant la présence de forces plus positives et plus profitables pour tous deux.

Saturne

Le rôle de Saturne est significatif. En fait, très souvent, une relation se poursuit ou s'écroule selon qu'elle peut englober ou non Saturne. Tout dépend bien sûr de la position de cette planète dans chacun des thèmes. Un individu qui possède de nombreux aspects saturniens "difficiles" dans son horoscope s'en est accommodé toute sa vie durant, de sorte que s'il s'établit une relation comportant beaucoup de contacts croisés, la relation reflétera les besoins précis dénotés dans le thème de nativité. Cependant, si un individu très jupitérien a une relation remplie de difficultés saturniennes, ce qui ne convient guère à la nature expansive et débordante de Jupiter, il est plus que probable qu'il se sentira à l'étroit et malheureux.

Pour comprendre le sens de Saturne, il faut le considérer à deux niveaux. Premièrement, en tant que "dieu du temps" et moteur des "destinées", Saturne peut être perçu comme le protagoniste de la loi du karma. Les contacts saturniens indiquent les points sur lesquels les partenaires doivent, en vertu de la doctrine karmique, se concerter afin de pouvoir opérer leur rachat — d'où l'aura inévitable des contacts saturniens. En second lieu, Saturne symbolise le durable et la souffrance supportée; or, en l'absence d'aspects saturniens, la relation s'effondrera. Les notions saturniennes de devoir et de responsabilité apparaissent clairement dans la cérémonie du mariage, cérémonie qui vise à unir deux personnes pour la vie. Dans son livre, *Saturn*, Liz Greene écrit: "Ce que nous avons tendance à oublier à propos des relations, c'est qu'on ne les noue pas en général pour atteindre le bonheur; on les noue pour rendre complet ce qui ne l'est pas..." Cette affirmation appelle quelque réserve, la plupart des individus nouant des relations dans le but défini de trouver le bonheur! Peut-être faut-il penser que l'idéal conscient du bonheur s'oppose invariablement aux besoins intérieurs, particulièrement si cet idéal équivaut à gagner beaucoup d'argent et à acquérir des biens matériels. Le bonheur découle d'un sentiment d'harmonie et d'équilibre à l'intérieur de soi, état qui nécessite l'acceptation et la conscience de son individualité. Les relations favorisent une telle connaissance de soi. Ainsi, chacun des partenaires devient un moyen de compléter ce qui est incomplet chez l'autre. Au risque de trop insister, disons que le fait de percevoir ses propres attributs en l'autre (particulièrement ceux que l'on déteste), d'y faire face et finalement de les reconnaître comme siens, permet d'accéder à la conscience personnelle et de progresser sur la voie de l'harmonie et de l'équilibre, qui sont les germes du bonheur. Bien qu'on ne puisse guère considérer Saturne comme dispensatrice de bonheur, elle y contribue néanmoins. Liz Greene affirme en conclusion: "C'est ce processus d'évolution mutuelle par l'accroissement progressif de la conscience de soi qui place les relations humaines sous l'influence de Saturne."

Les interaspects de Saturne avec les planètes personnelles, les angles et les noeuds ont une grande signification. Les personnes qui ont de forts interaspects ressentent souvent une attirance irrépressible l'une vers l'autre, attirance qui se mue souvent en haine intense avec le temps. Une opinion courante en astrologie veut que, tout comme le signe et la Maison dans lesquels se situe Saturne indiquent immanquablement une zone difficile pour l'individu, d'autres personnes dont le thème est fortement dominé par ce signe constitueront un problème pour celui-ci. Effectivement, quand les planètes personnelles d'un sujet contactent le Saturne d'un autre, ils entrent en contact dans une zone très vulnérable, une zone qui, aux yeux du partenaire, est étrangère et terrifiante. La réaction habituelle à quelque chose que l'on craint est de le fuir ou de le "tuer", ce qui est symboliquement la réaction produite par Saturne quand elle entre en contact avec les planètes personnelles d'une autre personne. Ici encore, la mythologie peut nous éclairer sur l'action de Saturne. La mutilation du père (Ouranos) par Saturne — action qui allait le rendre tout-puissant et invulnérable — apparaît symboliquement dans les contacts de Saturne avec les planètes d'un autre thème. Dans les relations, Saturne "mutile" par le biais de critiques intempestives, d'une étouffante spontanéité et en causant des soucis et de l'insécurité. Il est difficile de composer avec les interaspects saturniens car, plutôt que de susciter une confrontation directe, cette planète sape sans arrêt la confiance du partenaire (dans la zone concernée), ce qui amène de la frustration et du ressentiment.

Les interaspects Soleil/Saturne se forment très souvent dans les relations. Initialement, le sujet saturnien est attiré par les attributs solaires de l'autre puis, graduellement, il se met à critiquer ces mêmes attributs. C'est particulièrement le cas lorsqu'il y a conjonction ou opposition ou quand Saturne se trouve dans le même signe ou opposé au Soleil du partenaire. Le saturnien a tendance à rabaisser ou atténuer la confiance en soi et l'enthousiasme du sujet solaire, ce qui, avec le temps, peut porter ce dernier à voir dans l'autre une figure autoritaire qu'il doit craindre et haïr.

Les contacts Soleil/Saturne témoignent d'une relation durable; à la condition qu'il y ait de bons interaspects Lune/Vénus, ils peuvent avoir une influence très positive au sein de la relation. Cependant, des carrés et des quinconces entre le Soleil et Saturne ont tendance à favoriser les conflits, le partenaire saturnien paraissant s'opposer aux actions du sujet solaire. Les trigones et sextiles entre le Soleil et Saturne donnent du corps et de l'intégrité à la relation, bien que le partenaire saturnien puisse aussi avoir une influence néfaste s'il y a des interaspects plus contraignants.

Les contacts Lune/Saturne posent de bien plus grands problèmes; pour une raison étrange, ils sont très fréquents dans les comparaisons de thèmes. Comme pour les interaspects Soleil/Saturne, il est très probable que la relation perdure, mais au prix d'une contrainte affective. Les contacts (et particulièrement la conjonction) Lune/Saturne se font sous le signe de la froideur, bien que la rudesse puisse également apparaître à l'occasion du carré, de l'opposition et du quinconce. Le lunaire peut ne jamais se sentir libre d'exprimer ses sentiments en présence du saturnien et penser qu'on s'attend à ce qu'il se retienne. Immanquablement, le partenaire saturnien essaie d'étouffer les sentiments du lunaire alors qu'il croit que l'autre est trop émotif. Avec le trigone et le sextile, le partenaire saturnien donne de la constance aux émotions du lunaire et lui donne un sentiment de sécurité. Mais, encore une fois, la Lune et Saturne ne constituent pas les meilleurs compagnons planétaires et il est toujours possible que ces contacts suscitent des maux affectifs et du rejet.

Les contacts Vénus/Saturne ont mauvaise réputation, comme d'ailleurs ils ont mauvaise réputation dans le thème de naissance. Encore une fois, cette combinaison se retrouve chez les couples mariés. En matière affective (l'affectivité est symbolisée par Vénus), Saturne peut être un indice défavorable. Le partenaire saturnien aura tendance (particulièrement avec la conjonction, le carré, l'opposition et le quinconce) à rejeter finalement le vénusien. Les aspects néfastes entre Vénus et Saturne mettent le bonheur conjugal presque hors de portée. Ceci peut être causé par des facteurs extérieurs comme le manque d'argent ou les problèmes familiaux ou professionnels qui, à leur tour, feront s'écrouler la relation. Les conjoints qui ont des interaspects Vénus/Saturne ont tendance à ne pas se séparer même en l'absence de tout sentiment ou de tout rapport physique. Parfois, un contact entre Vénus et Saturne indique que les deux sujets associent l'amour à une forme quelconque de souffrance et de peine et se sentent liés précisément par celles-ci, en particulier s'ils ont des aspects Vénus/Saturne dans leurs thèmes de naissance. Le trigone et le sextile en interaspect entre Vénus et Saturne sont plus favorables et peuvent indiquer un profond sentiment d'engagement réciproque. Le saturnien donne alors une constance au partenaire vénusien et fournit une sécurité. Il faut cependant toujours se souvenir que Vénus et Saturne ont beaucoup de difficulté à se fondre ensemble harmonieusement, de sorte que n'importe quel interaspect s'avère difficile.

Les contacts Mars/Saturne peuvent être les interaspects avec lesquels il est le plus difficile de composer et ce, particulièrement si la planète Saturne de la femme est en conjonction, carré, quinconce ou opposition par rapport à la planète Mars de l'homme. Saturne gêne alors les actions et les désirs de Mars, ce qui témoigne de l'excessive incompatibilité de ces planètes. Cependant, des relations au sein desquelles apparaissent des interaspects Mars/Saturne comprennent fréquemment une grande attirance sexuelle au départ, qui s'accompagne plus tard d'un égal niveau d'aliénation. "Saturne personnifie la passion de façon plus grandiose et plus théâtrale que le Mars le plus incendiaire", affirme Liz Greene; si on se fie au nombre de relations passionnées présentant des contacts entre Mars et Saturne (particulièrement les contacts les plus contraignants), cette affirmation paraît fondée. L'aptitude du Saturnien à "mutiler" le partenaire martien se dissimule souvent inconsciemment en arrière-fond. Cela illustre l'action défensive de Saturne dont nous avons parlé antérieurement. Les contacts Mars/Saturne peuvent avoir une action constructive dans la relation à la condition qu'on prenne conscience de la lutte "psychologique" qu'implique cette union. Avec des trigones et des sextiles harmoniques entre ces deux planètes, le Saturnien peut contribuer fortement aux actions et aux entreprises du partenaire martien mais, en règle générale, quand ces deux planètes sont liées, on doit agir avec précaution. La conjonction, le carré, le quinconce et l'opposition en interaspects entre Mercure et Saturne peuvent mettre un frein à la communication du couple. La tendance du saturnien à être trop critique peut annihiler les facultés réflexives du mercurien, de sorte qu'après une longue période de mesquinerie, la relation peut être sérieusement affectée. En règle générale toutefois, un interaspect difficile Mercure/Saturne ne va pas mettre en péril la relation mais, si de nombreux interaspects saturniens sont présents, alors un autre interaspect entre les planètes Mercure risque de faire déborder le vase. Le trigone et le sextile (et parfois la conjonction) peuvent indiquer que le partenaire saturnien apporte des critiques constructives et offre des conseils au mercurien, Mercure à son tour pouvant aider le partenaire saturnien à comprendre ses peurs.

Jupiter et Saturne expriment des notions entièrement différentes, l'un ayant tendance à contrer l'action de l'autre, ce qui mène inévitablement à une sorte de cul-de-sac. Pour parler en général, le partenaire jupitérien peut éviter au saturnien une trop grande étroitesse d'esprit dans certains domaines et, de la même façon, le partenaire saturnien peut atténuer le débordement d'enthousiasme du jupitérien. Le trigone et le sextile témoignent que ces deux notions s'incorporent bien ensemble et favorisent l'évolution de la relation. Le carré, le quinconce et l'opposition peuvent amener quelques désagréments et quelques querelles. La conjonction rend possible une heureuse union, mais non sans dissensions.

Les interaspects Saturne/Saturne, Saturne/Uranus, Saturne/Neptune et Saturne/Pluton appartiennent à une sphère moins personnelle et, bien que chaque aspect influe sur la relation, ceux-ci n'ont pas une signification aussi grande que les interaspects s'établissant entre les planètes personnelles.

Même si l'interaspect existant entre deux Saturnes n'a pas l'influence la plus grande sur une relation, il indiquera les zones les plus sensibles et les plus susceptibles d'amélioration de la part des partenaires. La communication s'établira ou non entre eux, tout dépendant de l'aspect et du caractère harmonique des signes concernés.

Quand l'Uranus d'un partenaire forme un trigone ou un sextile avec le Saturne de son vis-à-vis, l'uranien risque de faire perdre brusquement à l'autre toute rigidité de perception. Les deux facteurs se combinent pour rendre l'inspiration plus structurée. Avec des carrés, des oppositions et des quinconces, le partenaire uranien peut susciter des bouleversements et des changements qui ne sont pas voulus par le saturnien, alors que le sujet uranien sentira son expression restreinte par l'autre, ce qui risque d'engendrer les frictions dans le couple.

Saturne et Neptune n'ont pas beaucoup d'éléments en commun. Le partenaire neptunien peut avoir une action corrosive et chercher à briser les liens de confiance que cherche à établir le saturnien. Ce sont les notions de réalité et de fuite qui sont en cause ici, un des deux partenaires s'opposant constamment à l'autre. Avec le sextile et le trigone, le partenaire saturnien donne du corps aux idéaux neptuniens tandis que le sujet neptunien devient une source d'inspiration pour son vis-à-vis saturnien. Avec la conjonction, le carré, l'opposition et le quinconce, les attributs trompeurs de Neptune rendent le saturnien encore plus rigide et intolérant.

Toutes les combinaisons qui précèdent influent en général sur les relations. Pour ce qui est particulièrement des contacts Saturne/Pluton, aucune implication particulière ne saurait être inférée, à moins que son influence ne s'exerce au grand jour. S'il existe un grand écart d'âge et qu'un aspect rapproché (en particulier une conjonction) s'établit entre partenaires, le contact est plus significatif au niveau de la relation. Le saturnien aura alors tendance à craindre le pouvoir du partenaire plutonien. Si une conjonction, un carré, un quinconce ou une opposition s'établit entre ces deux planètes, un état de ressentiment général peut se développer au niveau de la relation. Les trigones et sextiles, plus faciles, peuvent beaucoup favoriser l'évolution des partenaires.

Hitler et Eva Braun possèdent de forts contacts saturniens entre eux. Le Saturne d'Eva est en conjonction avec la Vénus et le Mars de Hitler, en carré avec son Saturne et en sextile avec son noeud nord. Le Saturne d'Hitler est en opposition au Soleil d'Eva, en conjonction avec son Milieu-du-ciel et en trigone avec son Jupiter. Il ne fait pas de doute que Saturne et l'interaspect Vénus/Mars ont joué un rôle dans l'attirance qu'ils éprouvaient l'un envers l'autre, mais à travers un processus sinueux de peur et de défense, cette attirance se transforma en fin de compte en hostilité affective et physique. Sur le plan des relations, les deux sujets ont une grande influence saturnienne inscrite dans leurs thèmes de naissance. La conjonction Vénus/Mars d'Hitler dans la Maison sept forme un carré resserré avec son Saturne natal dans la Maison dix. Le carré Mars/Saturne s'identifie avec la cruauté, élément dont n'a certes pas manqué de faire preuve Hitler. Cependant, sa cruauté manifeste plonge ses racines dans le sentiment profond de ne pas pouvoir devenir un homme à part entière. Cette crainte de ne pas être à la hauteur lui donnait un sentiment d'impuissance, ce qui à son tour affectait sa sexualité. L'astrologie laisse tomber ici la possibilité de tendances homosexuelles; en effet, l'influence plus prononcée du carré Vénus/Saturne rend plausible sa peur profonde et son dégoût des femmes. La planète Saturne d'Eva Braun, conjointe à sa conjonction Mars/Vénus et en carré avec sa planète Saturne, constitua pour Hitler un prétexte idéal pour l'expression de son dilemme psychosexuel complexe. Le Saturne d'Eva conjoint à la planète Mars d'Hitler explique qu'elle ait pu le frustrer au point où il fut obligé d'utiliser la force.

Le Saturne d'Hitler s'oppose au Soleil d'Eva Braun, formant un carré en T avec le carré natal Soleil/Saturne d'Eva. Elle a également un trigone Vénus/Saturne dans son thème de naissance; ainsi, son portrait fondamental indique chez elle un profond besoin de confiance au sein des relations. Avec sa planète Saturne en opposition au Soleil d'Eva Braun, il est indéniable qu'Hitler était en admiration devant son esprit Verseau mais, en fin de compte, il critiqua sa manière d'être imprévisible et son refus de lui obéir au doigt et à l'oeil. Le Saturne d'Hitler conjoint au Milieu-du-ciel d'Eva confirme l'idée qu'il se sentait forcé de la dominer et de lui imposer son point de vue et ses idées. Eva, avec tous ses contacts saturniens au thème d'Hitler, était également capable de le dominer. Cet interaspect Saturne/Milieu-du-ciel indique également qu'Hitler exerçait une influence paternelle sur elle, facteur qui est confirmé par le Saturne d'Eva dans la Maison sept. Le Saturne d'Hitler en trigone avec le Jupiter d'Eva forme le plus important interaspect saturnien compensatoire et suggère que la relation aurait pu devenir un moyen d'évoluer pour tous deux.

L'importance de l'influence saturnienne sur la relation aurait pu éclipser (mais non nier) tous les interaspects plus atténués Lune/Vénus et Jupiter/Vénus. Ces contacts plus heureux ont nourri la relation et l'ont empêchée de devenir tout à fait une association de type masochiste. Une telle quantité de liens saturniens indique qu'Eva Braun et Hitler partageaient un destin inéluctable.

L'ascendant, le descendant, le Milieu-du-ciel et le Fond-du-ciel

La signification des quatre angles de l'horoscope a été abordée au chapitre 3. On ne peut surestimer l'importance de ces axes en synastrie. L'ascendant, le descendant, le Milieu-du-ciel et le Fond-du-ciel sont les zones les plus sensibles du thème de naissance; quand ces points sont activés par les planètes d'une autre personne, ils ont un effet dynamique sur l'individu.

De nombreux livres traitant de synastrie interprètent la conjonction, le trigone, le carré, etc., par rapport aux quatre angles de l'horoscope. Il ne faut pas oublier, cependant, qu'une quelconque planète entrant en contact avec n'importe lequel de ces quatre points actionne en fait la seule relation pouvant s'établir entre les axes MC/FC et ascendant/descendant. (On l'aperçoit avec netteté quand le MC se trouve exactement à un angle de 90° de l'ascendant.) Dans un thème de naissance, si le MC est en carré avec l'ascendant, il n'entre pas "en conflit" avec ce dernier, le MC n'étant qu'une autre dimension de la personnalité, de sa fonction au sein de l'existence, de l'individualité par opposition à la persona. Une planète en carré avec le Milieu-du-ciel ne peut pas être considérée *seulement* sous cet aspect car elle entretient une relation avec l'ensemble de la structure psychique du MC, du FC, de l'ascendant et du descendant. Tout contact des planètes d'une personne avec les angles d'une autre a une très grande signification, alors que sont mises en relief les zones sensibles qui sont d'une importance cruciale pour la psyché.

L'ascendant est la zone qui fournit le plus de renseignements sur l'apparence physique de la personne, de sorte que des planètes formant un aspect à ce point de l'horoscope (particulièrement quand il s'agit de conjonction) agissent au niveau de l'attirance physique entre deux personnes. Le descendant indique les éléments qui nous attirent chez les autres et influence grandement notre choix de partenaire ainsi que nos relations humaines en général. Une planète en conjonction avec le descendant est par la même occasion en opposition à l'ascendant (tout comme une planète en trigone avec l'ascendant est en sextile avec le descendant). C'est ainsi que le descendant peut également être perçu comme un facteur d'attirance physique. La différence d'interprétation de la conjonction à ces divers points peut mieux se comprendre par le biais d'un exemple. Si la Lune de l'un est conjointe à l'ascendant de l'autre, ce dernier aura une profonde influence au niveau des émotions du partenaire lunaire. Si la Lune d'un partenaire est conjointe au descendant de l'autre, les humeurs et les émotions du lunaire affecteront profondément ce dernier. En fait, les forces s'exercent dans les deux sens, ce qui explique que l'ascendant et le descendant constituent les côtés opposés d'un même pôle.

Le Milieu-du-ciel et le Fond-du-ciel ont une égale influence au niveau de l'attirance entre deux personnes, bien qu'aucun de ces deux points ne se perçoive avec autant de netteté que l'ascendant. Le MC est la zone thème qui illustre l'image idéalisée de la personne, image qui peut constituer un facteur d'attirance aussi important que le physique. Les planètes qui entrent en contact avec le MC exercent une grande influence sur le désir de reconnaissance de l'individu, tandis que les planètes qui entrent en contact avec le FC se rapportent aux plus profonds besoins émotifs de la personne. Comme pour l'ascendant et le descendant, le courant d'énergie est à double sens. L'aptitude de la personne à s'individualiser (MC) dépend de la profondeur et de la force de son assise (FC). Pour utiliser l'image de l'influence lunaire sur les angles du thème: Si la Lune est conjointe au FC, le partenaire lunaire se rapporte instinctivement à celui qui a le FC, assumant ainsi ses idéaux.

On devrait par conséquent se rappeler que la signification de la présence de la Lune à n'importe quel de ces quatre angles découle de ce qu'elle joint les sentiments et la réaction instinctive d'un partenaire à la partie essentielle ou à l'essence de l'autre.

La conjonction constitue l'aspect le plus intense aux quatre angles; celle-ci, en effet, implique la fusion de deux thèmes astraux. Trigones, sextiles, carrés et quinconces ont également de l'importance. Les contacts du Soleil, de la Lune, de Vénus, de Jupiter ou de la planète dominante d'une personne avec les angles d'une autre sont très favorables aux relations, bien que toutes les planètes en contact avec ces points aient une signification.

Quand le Soleil d'un partenaire entre en contact avec les angles de l'autre, c'est un indice de grande attirance. La Lune et Vénus témoignent également d'une grande attirance et d'une grande harmonie, la Lune exerçant une influence particulièrement ardente et sensible sur la relation au contact des angles. La planète Mercure souligne que la discussion et l'échange intellectuel constituent un important élément de la relation. Mars peut exercer une influence un tant soit peu violente sur la relation quand il est en conjonction avec les angles (particulièrement si c'est la planète Mars de la femme qui forme un aspect avec l'ascendant, le descendant, le MC ou le FC). Cependant, de forts aspects de Mars indiquent également une grande attirance physique. La présence de Jupiter à n'importe quel des quatre angles est extrêmement bénéfique et le Jupiter d'une personne formant un aspect rapproché avec les angles d'une autre peut contrer de nombreux problèmes de la relation. Comme on peut s'y attendre, le Saturne d'un sujet exerce une influence restreignante quand il forme un aspect avec les angles d'un autre et ce, bien que le sujet saturnien puisse organiser et stabiliser la vie du partenaire en même temps qu'assurer la continuité de la relation. On doit porter une grande attention à Uranus, Neptune et Pluton qui forment des aspects réciproques avec les angles. Uranus peut éveiller mais il peut également déranger; Neptune peut inspirer mais aussi introduire un élément de déception; Pluton peut transformer mais aussi détruire. Jupiter,

Saturne, Uranus, Neptune et Pluton offrent tous l'occasion de participer à une évolution conjointe s'ils forment des aspects immédiats avec les planètes personnelles d'un autre sujet; ce qui demeure vrai dans le cas où ils établissent des contacts avec les angles. On ne doit pas oublier que des personnes nées au cours de la même année sont susceptibles d'avoir ces planètes plus lentes dans une position à peu près identique, ce qui renforce la position du sujet à la naissance.

Dans les thèmes d'Hitler et d'Eva Braun, il existe de nombreux interaspects entre les planètes et les angles, certains étant bien sûr plus significatifs que d'autres. Le Soleil d'Hitler est en conjonction avec le descendant d'Eva, indiquant attirance et compatibilité. La Lune d'Hitler forme un sextile avec l'ascendant d'Eva (et un trigone avec son descendant), indiquant de la sympathie et de la compatibilité affective. La conjonction Vénus/Mars d'Hitler forme un carré avec le MC d'Eva, ce qui indique également une attirance, mais comme le Saturne d'Eva est conjoint à son tour à cette conjonction Vénus/Mars et que le Saturne d'Hitler est conjoint au MC d'Eva, ce contact devient bien plus contraignant et tortueux. Le sextile d'Uranus du thème d'Hitler avec le MC d'Eva renforce l'idée qu'il exerçait une sorte d'influence magnétique sur elle et qu'il a modifié considérablement sa vie. Son Pluton est en quinconce avec l'ascendant d'Eva (et conjoint à la cuspide de la Maison huit), indice qu'il eut peut-être un rôle à jouer dans sa mort.

L'Uranus d'Eva est conjoint au FC d'Hitler et en carré avec l'axe ascendant/descendant, ce qui a dû constituer un important facteur d'attirance au départ; cependant, elle amena bientôt bouleversements et instabilité dans sa vie, éléments dont étaient responsables les nombreux interaspects uraniens contraignants. Neptune en carré avec l'ascendant aurait pu être source de confusion et d'instabilité, bien qu'au début Eva Braun ait pu, aux yeux d'Hitler, paraître fuyante et très désirable. Le Mercure d'Eva, bien que en carré avec l'ascendant d'Hitler, est fortement conjoint à son FC, ce qui indique qu'elle comprenait ses besoins et que sans doute elle pouvait l'amener à penser comme elle lorsqu'elle le désirait. Finalement, sa planète Pluton est dans un trigone étroit avec l'ascendant d'Hitler (et conjoint à la cuspide de la Maison neuf), ce qui

indique qu'elle partageait ses idéaux et sa manière de penser —
bien qu'avec le Saturne d'Hitler en conjonction avec le MC d'Eva il
est plus probable qu'il l'ait endoctrinée.

Les noeuds de la Lune

Les astrologues interprètent différemment les noeuds nord et
sud dans le thème de naissance; cependant il ne fait guère de
doute que l'axe nodal a une très grande signification. Les astrologues indiens accordent une très grande importance aux noeuds
de la Lune, les considérant comme des planètes et leur donnant les
noms de Rahu (noeud nord) et Kethu (noeud sud). Ceci vient principalement du fait que, dans leur système astrologique, la Lune
précède le Soleil et toutes les autres planètes. Les astrologues
occidentaux ont tendance à considérer le noeud nord comme favorable (de nature jupitérienne en quelque sorte) et le noeud sud
comme défavorable (de nature saturnienne). Le noeud nord est
perçu comme un "point de contact" devant être activé positivement
dans l'existence actuelle, alors que le noeud sud a une signification
complètement opposée. Dans son ouvrage, *Astrology and Per-*
sonality (Astrologie et personnalité), Dane Rudhyar affirme: "Le
noeud nord est le point d'ingestion et d'assimilation alors que le
second (le noeud sud) est un point de relâchement et d'évacuation."

Pour plusieurs raisons, il est difficile de comprendre le fonctionnement du noeud nord et du noeud sud au sein du thème astral
si on se fie à l'idée précédemment évoquée de "point de contact",
idée qui est un peu vague, pour ne pas dire plus. On peut comprendre l'axe nodal de deux façons. Premièrement, quand des progressions ou des transits entrent en contact avec ces points au sein
du thème de naissance, ils coïncident avec des phases importantes
de l'existence. Deuxièmement, quand les planètes d'un sujet
entrent en contact avec les noeuds nord et sud (particulièrement
par conjonction), cela indique une relation importante et réfléchie.

Saturne joue souvent un rôle dans le karma, de même sans
doute que les noeuds nord et sud de la Lune. Malheureusement,
l'astrologie karmique n'est évoquée que lorsque aucune autre explication ne s'avère satisfaisante. Cependant, des aspects (et particulièrement la conjonction) s'établissant aux noeuds nord et sud

augurent une union durable. Dane Rudhyar relie également les noeuds à la notion de karma. Dans le livre mentionné antérieurement, il affirme ceci: "Les axes des noeuds nous transmettent les directives du destin, le sens du destin (noeud nord) et ce qui est derrière ce sens, dans le passé (noeud sud)."

Des contacts harmoniques du Soleil, de la Lune, de Mercure, de Vénus et de Jupiter avec le noeud nord paraissent favorables, alors que ceux de Saturne, d'Uranus, de Neptune et de Pluton sont naturellement défavorables. Toutes les conjonctions au noeud sud indiquent que l'harmonie s'établira avec difficulté dans le couple. Ces difficultés surgissent quand le noeud nord vient en conjonction avec les axes ascendant/descendant et MC/FC, alors que le noeud sud vient automatiquement en conjonction avec le point opposé. Dans ce cas, il vaut mieux présumer que la relation est très significative et en tenir compte en tant que telle. D'après ma propre expérience, toute conjonction de l'un ou de l'autre noeud aux angles indique que la relation est significative.

Chez Hitler et Eva Braun, il y a sept contacts qui mettent en cause les noeuds des deux sujets. Le noeud nord d'Hitler est conjoint au Neptune d'Eva et en quinconce avec son Soleil alors que le noeud nord d'Eva est conjoint au Soleil, au descendant et au Mercure d'Hitler. Le destin tragique de leur relation fait partie de l'histoire. Des interaspects nodaux restants, le Saturne d'Eva est en sextile avec le noeud nord d'Hitler et son Uranus est à son tour conjoint au noeud sud d'Eva.

Le vertex (5)

Le vertex est le degré du zodiaque qui se trouve immédiatement à l'ouest du sujet au moment de sa naissance et par rapport au lieu de sa naissance. Découvert assez récemment (par l'astrologue américain Edward Johndro), le vertex a été associé aux rencontres "du destin" ou aux rencontres "karmiques". Dans mon travail d'astrologue, les conjonctions et oppositions au vertex semblent être les aspects les plus importants; en effet, plus l'aspect est rapproché, meilleur sera le résultat. Les conjonctions et oppo-

---

5. Pour connaître la façon de calculer le vertex, consulter l'annexe.

sitions s'établissant entre le Soleil, la Lune, l'ascendant, le descendant, le Milieu-du-ciel ou le Fond-du-ciel d'un partenaire et le vertex de l'autre indiquent que la relation donne lieu à une évolution importante de chacun des partenaires.

Hitler et Eva Braun ont deux conjonctions impliquant les vertex des deux sujets, mais tous les deux sont écartés (le Pluton d'Hitler est conjoint au vertex d'Eva et le Mars d'Eva est conjoint au vertex d'Hitler). Toutefois, les interaspects impliquant les noeuds et les forts contacts saturniens indiquent dans ce cas une union marquée par le destin.

Les Maisons en comparaison de thèmes

Dans son livre: *Relationships and Life Cycles*, Stephen Arroyo affirme: "Si je veux savoir comment quelqu'un *éprouve* ma présence, je dispose toutes mes planètes et mes ascendants dans son thème. Si je veux voir comment ma relation à autrui est symbolisée en astrologie, je place ses planètes dans mon thème astral."

Voilà une façon dynamique de percevoir les dimensions principales de la vie en tant qu'elles sont stimulées par l'interaction des individus. De façon générale, la présence des planètes d'un sujet dans les Maisons du partenaire influe sur le type d'expérience esquissé au sein des Maisons. Par exemple, si le Soleil d'un partenaire tombe dans la Maison cinq de l'autre, celui-ci s'engagera activement dans les entreprises créatrices de ce dernier. En vérité, la Maison cinq recèle la notion d'expression de soi de la même façon que le Soleil lui-même, de sorte que ce contact s'avère très stimulant. Cependant, si la planète Saturne du partenaire se trouve dans la Maison cinq de l'autre, le partenaire saturnien aura tendance à limiter et à censurer l'expression de l'autre. Réciproquement, ce dernier pourra apprécier l'approche sérieuse et constructive du sujet saturnien.

Bien que la position des planètes et des angles d'un partenaire dans les Maisons de l'autre éclaire davantage des domaines mutuellement importants de la relation, les interaspects et le thème composite (qui sera abordé au chapitre suivant) font partie des techniques les plus révélatrices de la synastrie. En fait, par rapport aux domaines de la vie touchés par les relations, le thème composite constitue un instrument beaucoup plus efficace d'analyse des changements de planètes et de Maisons et offre une vue privilégiée de la relation elle-même.

Transits et progressions en synastrie

Chaque fois qu'on regarde un horoscope, on contemple un moment figé dans le temps. En fait, les planètes et les angles sont continuellement en mouvement depuis l'instant de la naissance, ce qui se reflète dans le développement de la conscience tout au long de la vie. La progression des planètes (au cours d'une journée qui représente symboliquement l'année) constitue une façon en astrologie de délimiter les étapes majeures de l'existence du sujet. Les contacts s'établissant entre les planètes et les angles en progression et ceux compris dans un thème de naissance symbolisent le temps requis pour réaliser le potentiel contenu dans ce thème. Les planètes en progression ne "produisent" pas les événements puisqu'elles sont essentiellement symboliques, mais elles indiquent que certains processus psychologiques sont inévitables.

La réalisation du potentiel individuel par rapport au mariage est symbolisée de diverses façons à travers les progressions. Traditionnellement, les plus typiques sont: le Soleil en progression atteignant le Vénus natal (ou vice versa); Vénus en progression conjointe à l'ascendant ou au descendant (ou vice versa); le Soleil en progression vers la Lune natale; progression des planètes personnelles vers le maître de la Maison sept, etc. Malheureusement, il n'existe aucune garantie astrologique qu'un mariage sera conclu chaque fois que ces progressions se produiront dans un thème de naissance — chaque individu est unique et la réalisation de son potentiel dépend avant tout du potentiel lui-même. Cependant, les progressions indiqueront les étapes importantes du développement, pouvu qu'elles répondent aux notions exprimées par les planètes en question. Ainsi, le Soleil en progression conjoint à la Lune natale peut vouloir dire un mariage dans un thème et un divorce dans un autre. Les facteurs communs d'âge et de situation maritale influent grandement sur l'interprétation et le sens des progressions, de même évidemment que sur la position des planètes à la naissance.

Les transits des planètes servent de mécanismes de déclenchement du potentiel natal, mais là où les progressions ne sont qu'essentiellement symboliques, au sens où elles indiquent le développement de modèles internes selon une échelle temporelle particulière, les transits ont une influence plus directe sur la vie de l'individu. Ceci découle de ce que les transits vers le thème de naissance reflètent la position orbitale réelle des planètes à ce moment. Plus tôt dans ce chapitre, on a parlé du retour de Saturne, qui est la conjonction de Saturne en transit vers sa position natale tous les vingt-neuf ans. Les transits peuvent indiquer aussi bien que d'autres facteurs (et même mieux) la probabilité d'un événement comme le mariage; par exemple, Jupiter en transit conjoint au descendant ou en trigone avec Vénus et même peut-être Saturne en transit conjoint à Vénus (s'il y a contact Vénus/Saturne dans le thème natal). Le bon sens et la position des planètes à la naissance sont encore des éléments primordiaux de l'évaluation des possibilités d'une telle situation.

Un des éléments les plus étranges de la synastrie est que le thème en progression d'un partenaire s'unit fréquemment au thème de naissance de l'autre au moment d'une rencontre, d'un mariage ou d'importantes jonctions au sein de la relation. La planète Mars en progression de l'un peut être conjointe à la planète Vénus (ou en opposition avec elle) de l'autre au moment d'une rencontre, ou la planète Vénus en progression dans un thème peut être conjointe au Soleil de l'autre thème. Dans mon cas, l'ascendant en progression de mon époux était conjoint à ma Lune quand nous nous sommes rencontrés (et au moment où nous nous sommes mariés, un an plus tard) et ma Vénus en progression était en trigone avec son Mars.

En tant qu'interrelations significatives, les planètes en transit ne peuvent avoir la même signification que les positions en progression, les planètes en transit occupant exactement la même position chez les deux sujets. Cependant, lors d'une rencontre ou d'un mariage, les planètes en transit exerceront une influence. L'amorce d'une relation est une "naissance" au même titre que la naissance d'un bébé; il en découle que les positions planétaires au moment de ce début de relation se reflètent dans le thème de naissance. Celui-ci rend donc compte des transits et des progressions.

Nombreux sont les couples qui consultent un astrologue pour savoir quel sera le jour le plus "favorable" au mariage, celui qui reflétera leurs propres thèmes astraux et qui aura l'influence la plus bénéfique. Même sans l'aide de l'astrologue, les couples choisissent souvent inconsciemment un jour et une heure qui coïncident avec les éléments de leurs thèmes.

Les thèmes en progression d'Hitler et d'Eva Braun recelaient d'intéressantes associations au moment ou à l'époque de leur rencontre. La Vénus en progression d'Hitler était conjointe au descendant d'Eva; son MC en progression était en trigone avec le Saturne d'Eva (dans la Maison sept) et son Mars en progression était conjoint au mi-point de Mars/Pluton (dans la Maison huit). Le Soleil en progression d'Hitler était également conjoint au Mars en progression d'Eva. Dans le thème de naissance d'Eva, sa Lune en progression transitait dans la Maison sept, alors que sa Vénus en progression était conjointe à l'Uranus natal (faisant ressortir de la sorte son Uranus natal en trigone avec Mars dans la Maison sept). Le fait que les progressions étaient plus marquées dans le thème d'Eva indique que la relation avait un effet plus important sur sa vie que sur celle d'Hitler, du moins à cette époque. (Le thème d'Hitler ne comportait pas d'indications aussi définies, exception faite, bien sûr, des contacts que ses progressions établissaient avec les planètes d'Eva.)

On ne connaît ni la date ni le moment exacts du début des relations d'Eva Braun avec Hitler. Toutefois, Saturne en transit était aux premiers degrés du Capricorne (Saturne était conjoint périodiquement à la Vénus d'Eva et à la conjonction Lune/Jupiter d'Hitler) au cours de l'année en question. C'est trop imprécis pour avoir une signification astrologique, mais le phénomène revêt toute son importance si on pense qu'au moment de leur maraige (daté avec certitude) et deux jours avant leur suicide, Saturne était en Cancer, en opposition avec leurs planètes en Capricorne et probablement avec la position de Saturne au début de leur relation. (Les positions en progression de leurs planètes au moment de leur mariage et de leur mort forment des croisements moins significatifs.) La Vénus en progression d'Eva était en trigone avec l'Uranus d'Hitler et son ascendant en progression était en opposition avec le vertex de ce dernier (le vertex étant fortement lié aux rencontres et aux événements fatadiques). La Vénus en progression d'Hitler était écartée d'un degré et demi du Saturne d'Eva (un peu trop écarté pour qu'il en soit tenu compte).

Les progressions d'Eva forment cependant des contacts bien établis avec son thème de naissance. Son Mercure en progression (maître de la Maison huit) était en opposition avec sa Lune natale, en carré avec Pluton, tandis que son Mars en progression était conjoint à sa part de Fortune (6) dans la Maison huit. Le jour du mariage (le 28 avril 1945, un peu avant minuit), Mars en transit était à 26° des Poissons (conjoint au Mercure en progression d'Eva), en opposition avec la Lune natale et en carré avec le Pluton natal; Uranus en transit était conjoint au vertex d'Eva. La veille du mariage, la Pleine Lune se trouvait sur l'ascendant d'Eva et était en carré avec l'axe MC/FC d'Hitler. Quelques heures avant leur mariage, un transit Soleil/Pluton en carré avec les axes respectifs ascendant/descendant et MC/FC entrait en contact avec eux. Vénus en transit (rétrograde) était en opposition avec l'Uranus natal d'Hitler alors que Jupiter était en trigone avec la conjonction Vénus/Mars de ce dernier.

On pourra penser que les interaspects qui se forment entre les thèmes en progression et les thèmes de naissance de deux sujets découlent d'une pure coïncidence et qu'on ne devrait guère y porter attention. Je pense toutefois qu'ils illustrent les liens unissant les destinées à un moment précis et "ordonné". Un tel lien ajoute un élément à l'éternel débat philosophique portant sur le déterminisme des êtres.

Synthèse

Il est difficile de relier ensemble tous les renseignements concernant les échanges de signes, d'éléments et d'interaspects. Les interaspects se contredisent et agissent souvent en opposition les uns par rapport aux autres — à ce compte, les hommes eux-mêmes

---

6. Il s'agit d'une des parts arabes; sa position est obtenue en ajoutant à la longitude de l'ascendant l'arc séparant la Lune du Soleil. Dane Rudhyar dit de la part de Fortune qu'elle est "le foyer d'expression du pouvoir généré par la relation Soleil-Lune". La part de Fortune n'est pas utilisée par tous les astrologues, son action étant contestable. Elle symboliserait toutefois un point de bonheur et d'accomplissement.

sont remplis de contradictions! Un thème important émerge toutefois dans plusieurs domaines de la relation; quand cela se produit, il s'agit, aux yeux de l'astrologue, d'une caractéristique majeure et virale de la relation.

Dans le cas d'Eva Braun et d'Adolf Hitler, le thème dominant est Saturne, en premier lieu à cause de leurs Saturnes forts et en second lieu parce que cette planète émerge fréquemment au sein des zones clés de la relation. Avec ce thème dominant apparaît une relation fortement significative et marquée par le destin (particulièrement du fait que Saturne est en relation avec les noeuds), non seulement en raison des rôles historiques des deux sujets mais parce qu'il s'agissait de personnes fortement unies l'une à l'autre et qui s'appliquèrent à entreprendre une série d'expériences ensemble. Les contacts de la planète Saturne d'Eva avec les planètes Vénus et Mars d'Hitler (et la trop grande force des liens de Saturne) et de la planète Pluton d'Hitler avec la cuspide de la Maison huit d'Eva, de même que son Neptune conjoint à la planète Mars d'Eva, indiquent que la sexualité serait devenue le facteur de convergence de leurs problèmes réciproques. Ceci, en fait, les rendait fortement dépendants l'un de l'autre. Uranus présente également un thème fort dans la relation; l'Uranus d'Eva entre quelquefois en contact avec le thème d'Hitler, et Eva elle-même apparaît comme une figure relativement uranienne. Le Soleil d'Eva en Verseau et Mars (dans la Maison sept) en trigone avec Uranus indiquent qu'elle recherchait cet attribut uranien chez le partenaire — facteur qui se reflétait chez Hitler avec Uranus conjoint à l'ascendant. De plus, Hitler avait une opposition angulaire Mercure/Uranus, tandis qu'Eva avait une conjonction entre Mercure et Uranus. Leur relation s'accordait sans doute au mouvement d'avance et de recul de Saturne et d'Uranus, s'accompagnant de périodes d'éloignement physique et affectif (émaillées d'accusation d'impuissance sexuelle). Mais au moment où l'un des deux semblait s'échapper de la relation, l'autre se mettait en colère (c'était une spécialité d'Hitler); d'ailleurs Eva répondit aux excès de fureur d'Hitler en tentant par deux fois de se suicider.

Les contacts contraignants de Mercure rendirent sans doute la communication très difficile par moments, ce qui peut avoir accru les problèmes sexuels, abordés lors de l'étude des interaspects

Vénus/Mars et Saturne. Les interaspects harmoniques Vénus, Lune et Jupiter apportèrent toutefois à la relation une sympathie, une compréhension sous-jacente, ce qui procura à tous deux des instants de bonheur et empêcha celle-ci de devenir tout à fait une expérience masochiste. Un astrologue qui aurait été appelé à voir ces personnes en tant que futurs mariés aurait certes considéré cette relation comme un défi au bon sens, pour ne pas dire plus (bien que susceptible de faire "évoluer" grandement les futurs conjoints), mais le praticien aurait dû finalement laisser le destin suivre son cours!

Chapitre six
Le thème composite

*Le mystère de la vie est toujours caché entre
deux êtres et ce vrai mystère ne peut être
trahi par les mots ni épuisé par les arguments.*

C. G. Jung

Le thème composite est une technique synastrique relativement récente qui est apparue au début des années 70. Son origine est cependant incertaine. Deux astrologues allemands l'étudièrent au cours des années 20 mais il est fort possible qu'on l'ait étudiée bien avant cette époque. Dans son ouvrage détaillé *Planets in Composite*, Robert Hand donne une explication exhaustive des significations et de l'interprétation à donner au thème composite. Il dit de lui qu'il "est la technique astrologique la plus fiable et la plus descriptive qu'il m'ait été donné de rencontrer". Je suis entièrement d'accord avec cette opinion, comme le sont d'ailleurs les nombreux astrologues qui ont utilisé cette technique au cours de la dernière décennie.

Fondamentalement, le thème composite s'élabore en identifiant les mi-points (1) entre des couples de planètes d'angles et de foyers de deux horoscopes (Soleil-Soleil, Lune-Lune, MC-MC, etc.). Le thème qui en résulte représente les forces partagées des deux sujets et constitue l'essence de la relation. En dépit des notions assez asbtraites utilisées dans le calcul du thème composite, on a pu constater que les mi-points constituent des points très sensibles de l'horoscope. Comme l'affirme Robert Hand dans l'ouvrage cité plus haut: "Il (le thème composite) repose sur des principes ayant d'importants parallèles en physique."

Une autre forme de thème composite a été mise de l'avant par l'astrologue anglais Ronald Davison. Les astrologues le connaissent

1. Le point à mi-chemin de deux planètes. Dans un thème de naissance, le mi-point se situe entre deux planètes quelconques; son calcul donne un point sensible sur le zodiaque. Parfois, une autre planète se trouve à mi-chemin de deux planètes, déterminant ainsi une notion à trois volets et qui englobe toutes les notions des planètes concernées. Reinhold Ebertin, un des pionniers de cette technique, interprète dans son ouvrage, *The Combination of Stellar Influences*, toutes les permutations possibles des mi-points.

sous le nom de *thème de relations* — le point de rencontre dans le temps et dans l'espace des anniversaires de naissance de deux individus. On ne fait pas usage ici des mi-points, mais une date et une heure imaginaires sont fixées, correspondant au début de la relation, heure et date qui correspondent à leur tour au point situé à mi-chemin de la date, du lieu et de l'heure de naissance. Bien que certains astrologues aient suivi sa méthode avec succès, d'après ma propre expérience, le thème composite donne des résultats meilleurs et plus compréhensibles.

Calcul du thème composite

Le diagramme explique comment calculer une planète composite.

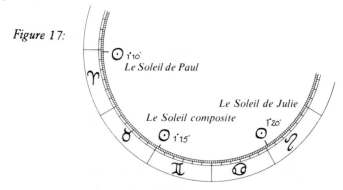

Figure 17:

Pour un calcul plus facile, les planètes des deux sujets devraient se situer quelque part sur un cercle de 360°:

Bélier	0° ♈	=	0°
Taureau	0° ♉	=	30°
Gémeaux	0° ♊	=	60°
Cancer	0° ♋	=	90°
Lion	0° ♌	=	120°
Vierge	0° ♍	=	150°
Balance	0° ♎	=	180°
Scorpion	0° ♏	=	210°
Sagittaire	0° ♐	=	240°
Capricorne	0° ♑	=	270°
Verseau	0° ♒	=	300°
Poissons	0° ♓	=	330°

La position de la planète dans son signe devrait ensuite être additionnée au 0° équivalent à ce signe sur la table de 360°, donnant ainsi sa position en longitude zodiacale. Par exemple, si la Lune se trouve à 28°58' du Scorpion, pour convertir cette position en longitude zodiacale (ou le long d'un cercle de 360°), on devrait ajouter 28°58' à 210° (Scorpion à 0° en longitude zodiacale), ce qui donne 238°58'.

Pour trouver la position de la Lune composite, on convertit la position des Lunes des deux partenaires en longitudes zodiacales, que l'on additionne ensemble puis que l'on divise par deux. Le résultat, qui est toujours par rapport au cercle de 360°, doit ensuite être converti en signe, qui est la façon habituelle de montrer les planètes.

Ainsi, le calcul de la figure 17 se ferait comme suit:

Le Soleil de Paul 1° ♈ 10'	=	1°	10'
Le Soleil de June 1° ♌ 20'	=	121°	20' +
		2 122	30 ÷
		61	15

Ainsi, le soleil composite se trouve à   61°   15' (en longitude zodiacale), ce qui donne, converti en signe, 1° ♊ 15'.

Figure 18:

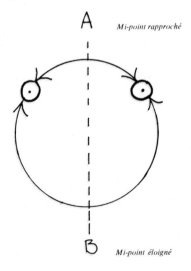

A   *Mi-point rapproché*

B   *Mi-point éloigné*

169

Un problème mineur qui est soulevé lors de la recherche du mi-point de couples de planètes: le long d'un cercle, une paire de points offriront deux mi-points possibles. En règle générale, on devrait utiliser l'arc le moins grand et le mi-point le plus rapproché (A dans la figure 18). Cependant, si l'angle entre deux planètes est de 180°, on devrait considérer alors les deux mi-points.

Cette méthode est utilisée pour les deux MC, les deux ascendants, les deux cuspides (si on utilise un système de quadrant), les deux noeuds et le vertex. Le Milieu-du-ciel et l'ascendant composites portent parfois à confusion; les gens pensent, en effet, qu'une fois le Milieu-du-ciel trouvé et l'ascendant de même que les cuspides extraits, on peut trouver la réponse dans une table des Maisons. Ceci n'est possible que si on calcule également le mi-point des longitude et latitude à la naissance des deux personnes en cause. Bien que Robert Hand applique cette technique dans son ouvrage *Planets in Composite*, on suggère ici de faire un thème composite de tous les angles et de toutes les cuspides et de ne pas se référer à une table des Maisons.

Il est également possible d'établir le thème composite en utilisant la même méthode de calcul avec les planètes et les angles en progression des deux partenaires. Ainsi, si l'ascendant en progression de A est à 15°28' du Sagittaire (155°28') et l'ascendant en progression B est à 21°18' du Cancer (111°18'), l'ascendant composite sera situé à 3°23' de la Balance (183°28'). Bien que cela puisse paraître encore plus abstrait que le thème composite lui-même, les progressions composites *fonctionnent* réellement, comme j'espère le démontrer dans les pages suivantes. Les transits affectent également le thème composite, ce qui sera expliqué dans les interprétations qui suivent.

Conseils pratiques

Le thème composite décrit l'expérience réelle de deux personnes au sein d'une relation. Comme tel, il offre une idée précise et immédiate de l'interaction entre partenaires et des domaines principaux mis en relief dans la relation. Certes, les autres techniques utilisées en synastrie, et que nous avons relevées, offrent un bon aperçu de la relation mais le thème composite, lui, relie tous les éléments de façon rapide et succincte.

Le thème composite peut être "lu" à peu près de la même façon qu'un thème de naissance, à une différence près cependant. Dans le thème composite, ce ne sont pas les signes qui servent à l'interprération astrologique mais les planètes et les Maisons. De plus, les planètes sont alors placées bien évidemment dans les signes mais, en vérité, ces derniers ne sont considérés à ce moment que comme de simples abstractions, ne servant qu'à évaluer la position des planètes. Comme cette technique est relativement nouvelle, on n'est pas encore certain que les signes puissent influer sur l'interprétation. Personnellement, je ne les ai pas trouvés significatifs.

À la figure 19, on donne brièvement les significations des Maisons et des planètes au sein du thème composite. Les différences d'avec l'interprétation du thème de naissance sont minimes mais, comme le thème composite rend compte des forces combinées de deux sujets, il y a de légères variantes.

Les Maisons angulaires (Maisons un, quatre, sept et dix) forment les zones les plus dynamiques du thème composite; à l'occasion de relations intimes, il importe que l'une quelconque (ou que quelques-unes) de ces Maisons soit(ent) occupée(s). La Maison quatre constitue une zone particulièrement sensible; la maison ne signifie pas seulement les quatre murs derrière lesquels s'abrite le couple mais également l'impression de se "sentir bien" ensemble. Comme pour le FC et la Maison quatre dans le thème de naissance, on trouve dans le thème composite les racines de la relation de même que toutes les connotations d'origine commune et d'existences passées.

Les Maisons cinq et onze représentent également d'heureuses relations. Ces deux Maisons sont des zones de joie et de créativité; symbole d'amitié, la Maison onze est un facteur essentiel de relations durables. Bien que la Maison cinq soit associée aux aventures amoureuses, nombre de relations permanentes ont une importante dominance dans cette Maison.

Les Maisons deux et huit sont associées de près aux sentiments — émotions et sexualité —, de sorte qu'elles ont une très grande importance dans le cadre d'associations telles que le mariage.

Figure 19:

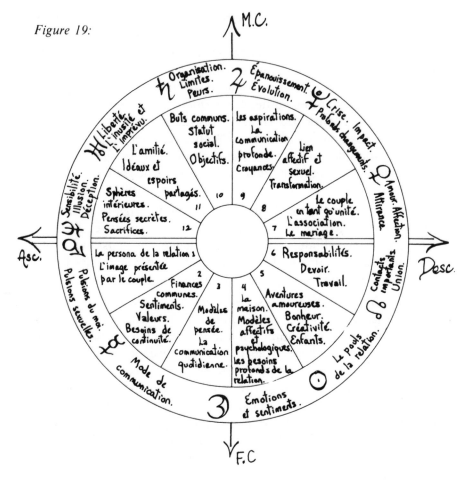

Lorsqu'elles sont occupées, particulièrement par des planètes personnelles, les Maisons six et douze semblent être cause de divers problèmes au sein du couple. Devoir et responsabilité sont deux éléments importants du mariage mais si des planètes ont élu domicile dans ces Maisons, ces facteurs pourraient prendre trop d'importance. L'axe Maison six/Maison douze pourrait avoir des connotations karmiques, particulièrement en présence du Soleil et de la Lune (ou encore d'une planète dominante ou de noeuds). Les partenaires peuvent alors être tout entiers voués au service, non seulement l'un de l'autre, mais des autres en général. La Maison douze peut amener des difficultés; on peut en effet ne pas reconnaître les planètes qui y ont élu domicile et qui minent fréquemment la relation.

La communication est un élément primordial de la relation, en sorte que les Maisons trois et neuf ont un important rôle à jouer ici. Une trop grande emphase portée à l'une quelconque de ces Maisons indique qu'il y a trop de discussions abstraites et pas assez de communication au niveau des sentiments.

Sur le plan des relations personnelles et intimes, le Soleil, la Lune, Vénus et Mars sont les planètes les plus significatives. S'il y a surenchère d'aspects difficiles*, il est peu probable que la relation soit heureuse, bien qu'elle puisse quand même être significative. Comme dans toutes les relations de type traditionnel, tel par exemple le mariage, la Lune joue un rôle très important. Un Soleil formant peu d'aspects pourrait être un signe de problèmes et de discordes, mais on est plus à même de s'en accommoder que s'il s'agit de problèmes associés à la Lune (problèmes qui mettent en cause les sentiments et l'instinct). Le Soleil, la Lune, Vénus et Mars dans les Maisons angulaires exercent une grande influence sur la relation; les aspects se rapportant à ces planètes disent si elles sont bénéfiques ou non.

Comme pour les types traditionnels de relations, on doit prendre garde à Saturne, Uranus, Neptune et Pluton. Saturne contribue à stabiliser la relation mais il peut également exercer une influence restreignante; Uranus peut s'avérer exaltant et sortir de l'ordinaire, mais il indique toujours qu'un partenaire désire la liberté que l'autre lui refuse; Neptune peut indiquer une relation profonde, voire mystique, mais les contacts neptuniens aboutissent trop souvent à la déception et au négativisme; Pluton est un transformateur puissant mais il peut donner lieu à de la cruauté mentale et physique (et sûrement à des conflits) quand des aspects difficiles se rapportent aux planètes personnelles.

L'aspect immédiat du thème composite et l'information utile qu'il fournit (ce que la synastrie peut ne pas révéler en entier) peuvent être illustrés par le thème composite d'Eva Braun et d'Adolf Hitler (figure 20). Le thème est dominé par deux carrés en T, impliquant d'une part, le Soleil, Jupiter, Saturne et Neptune et

---

*Se servir des orbes s'appliquant aux interaspects. Voir pour ce faire la section réservée aux interaspects, au chapitre 5.

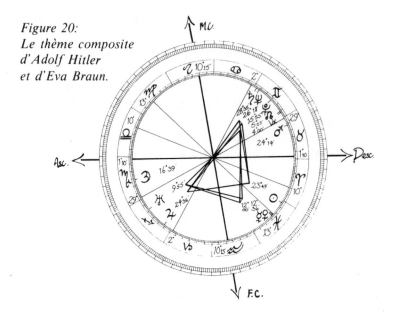

Figure 20:
Le thème composite
d'Adolf Hitler
et d'Eva Braun.

d'autre part Mercure, Vénus, Uranus et Pluton. Le premier de ces carrés souligne les difficultés externes et les circonstances inusitées entourant leur relation (qui s'est déroulée sur un fond d'intrigue et de terreur). Le second carré en T, avec Mercure et Vénus en carré avec Uranus et Pluton, indique à la fois l'intensité (Pluton) et l'aspect volatile (Uranus) de leur relation (Hitler et Eva avaient respectivement des oppositions Mercure/Uranus et des conjonctions dans leurs thèmes respectifs). Comme en synastrie Saturne et Uranus se présentent comme des thèmes forts, les contacts uraniens démontrant l'aspect non conventionnel de leur relation (écarts d'âge, de milieu social, etc.). Les Maisons huit et deux sont mises en relief, ce qui fait ressortir les aspects sexuel et affectif de leur relation. Avec Saturne, Neptune et Pluton dans la Maison huit et Uranus (et Jupiter) dans la Maison deux — planètes qui sont reliées par des carrés en T au Soleil et à Vénus —, les problèmes relatifs à cette zone de l'horoscope et abordés sous le biais des interaspects se retournent véritablement contre le thème composite. Mars dans la Maison sept indique une relation ambivalente, bien qu'il puisse y avoir eu un sentiment partagé quant au sens de leur action.

D'un point de vue positif, Vénus, Mercure et le Soleil dans la Maison cinq (ce dernier formant un large trigone avec la Lune) indiquent que les partenaires s'apprécient mutuellement; bien que la relation d'Eva Braun et d'Hitler ait été principalement une aventure (amoureuse), elle se poursuivit durant dix-sept ans et aboutit à un mariage. (La contribution de Saturne, qui forme un trigone avec l'ascendant ne fait aucun doute ici.) Les circonstances inusitées entourant leur mariage et leur suicide subséquent se reflète dans Pluton (maître de la Maison huit) en carré avec Vénus et Mercure (maître conjoint de la Maison huit). La Lune est également très bien située dans la Maison un, indiquant l'importance de leur relation sur le plan personnel, bien qu'il ait pu leur être difficile de prendre leur distance l'un par rapport à l'autre.

La prépondérance du thème composite par rapport aux autres techniques est démontrée amplement dans le cas d'Eva Braun et d'Adolph Hitler. Au niveau des interaspects, et exception faite des interaspects Lune, Jupiter, Vénus et Lune, Neptune, Mercure, il n'y a guère d'indication quant au profond amour et à la profonde sympathie qui se développèrent entre eux pendant la relation. (Ces quelques contacts sensibles durent contrer l'important poids des interaspects d'Uranus et de Saturne.) Bien que les difficultés se fassent fortement sentir dans le thème composite, les forces harmoniques sont également mises en lumière. Leur union peut d'abord avoir paru fragile aux yeux de leur entourage, mais tout à la fin de leur liaison, Hitler témoignait son amour ouvertement à Eva. Par abnégation, Eva sacrifia plaisirs et passion au profit d'Hitler, préférant mourir finalement plutôt que de vivre sans lui. Par suite du manque d'eau dans leurs thèmes de naissance et des problèmes soulignés dans la comparaison de thèmes, un astrologue a déjà cru qu'une partie seulement de leur union découlait de l'amour et d'un bonheur partagé. Mais, en fait, la relation donnait lieu à beaucoup de sensibilité et de partage, comme en témoignent le Soleil composite dans la Maison cinq formant un large trigone avec la conjonction Vénus/Mercure. D'autres éléments à considérer: le vertex composite et le noeud nord composite sont conjoints au Pluton natal d'Hitler et le Neptune composite est en carré avec la Lune natale d'Eva (26° de la Vierge). Il est significatif que la Lune d'Eva ait été activée à leur mariage et à leur mort par l'ensemble des transits et des progressions à 26° des signes mutables. Finalement, la conjonction du vertex et du noeud nord au sein du thème composite suggère que l'issue de leur union dépendait largement des circonstances. La conjonction tombant dans la Maison huit de la mort (et de la renaissance), où règne le maître Pluton, témoigne non seulement de cette aura de mystère, de violence et de mort associée à leur union, mais indique également qu'ils ont eu la possibilité de s'affranchir de ces circonstances et de trouver une occasion d'évoluer individuellement à travers celle-ci. L'idée est implicite que le destin les unissait et que leur amour dut affronter des forces écrasantes. Les thèmes apparaissant à la figure 21 appartiennent à trois personnes ayant eu une grande influence les unes sur les autres. Nick et Amanda sont mariés et Zoé est la maîtresse de Nick (Zoé et Amanda ne se sont jamais rencontrées). Nick est un metteur en scène et un écrivain talentueux; Amanda consacre toute son énergie à sa famille. La famille compte deux enfants qui sont d'eux et trois autres enfants issus du mariage précédent d'Amanda. Malgré l'apparence heureuse de leur union, Nick et Amanda trouvent leur relation difficile et peu satisfaisante sur les plans sexuel et affectif. Ils étaient mariés depuis neuf ans quand Nick rencontra Zoé, une étudiante en art dramatique qui jouait dans une de ses pièces. La relation aurait très bien pu se terminer sans problème, comme pour d'autres "aventures" de Nick, mais elle suscita des remous dans le mariage, à tel point que séparation et divorce furent envisagés par les conjoints.

Amanda et Nick s'accordaient bien au point de vue astrologique. Le Soleil et le noeud nord dans le Cancer chez Amanda sont conjoints à l'ascendant de Nick, tandis que le Mars d'Amanda en Vierge forme un trigone avec le Mars et est en opposition avec la Vénus de Nick. La Lune et la Vénus (son symbole féminin) de Nick ne se reflètent pas trop bien dans le thème d'Amanda, à dominante feu, et ce, bien que la planète Vénus de Nick soit conjointe à l'ascendant d'Amanda. Les zones natales défavorables sont un carré Mars/Uranus dans celui d'Amanda, témoignant que les relations avec le sexe opposé sont instables et imprévisibles. Des problèmes subséquents se présentent dans les thèmes de naissance en raison de la conjonction Vénus/Platon chez Amanda et de l'opposition Mars/Saturne chez Nick. Ces deux aspects indiquent des problèmes en ce qui touche aux rapports physiques, problèmes qui sont dus pour une grande part au refoulement et aux blocages. La plus grande difficulté de leur relation a été le manque de rapports affectifs et sexuels. En ce qui concerne la compatibilité affective, les Lunes en carré constituent certes un facteur important et un élément de discorde renforcé par un autre carré Lune/Vénus. Comme les deux personnes sont très sensibles, les émotions jouent un important rôle au sein de leurs rapports physiques. Le thème composite montre une accentuation au niveau de la Maison trois, accentuation qui s'est manifestée dans des discussions sans fin portant sur leurs sentiments et les raisons de l'absence d'harmonie, mais sans résultats. Au départ, la cause principale était plutôt dans le manque d'échanges *physiques* et *affectifs*.

Nick s'était occasionnellement entiché d'actrices, mais aucune n'avait constitué une menace pour son mariage comme Zoé.

Zoé convient parfaitement au profil astrologique de Nick. Femme de type fortement Scorpion (avec quatre planètes dans ce signe, y compris Vénus), elle reflète amplement la Lune Scorpion de Nick dans la maison cinq. Sa Lune en Capricorne et conjointe au Soleil de Nick, avec une (large) conjonction Lune/Saturne en Maison sept (cette dernière étant conjointe au descendant de Nick). Nick, Soleil Capricorne, a dix-sept ans de plus qu'elle et représente la figure paternelle. Un autre facteur d'attirance est le Soleil de Nick qui est conjoint au descendant de Zoé et au noeud nord de celui-ci, qui est l'ascendant de Zoé. Le Saturne de Zoé est conjoint au Soleil de Nick et la Lune de Zoé tombe sur le noeud sud de Nick. Leurs Lunes et leurs Vénus sont respectivement sextile et trigone et le Neptune de Zoé est conjoint à la Lune de Nick, ce qui est à la fois source d'enthousiasme et de manque de réalisme. Leur union fut une source de bonheur réciproque. Comme Zoé travaillait pour Nick, il put contribuer au développement de son potentiel artistique et elle, à son tour, supportait et rejetait à tour de rôle la vision artistique de Nick. Ils se stimulaient ainsi constamment l'un l'autre et leur engagement dans le théâtre constituait un facteur vital de leur relation.

Le thème composite donne un excellent portrait de leur relation. Le Soleil, Vénus, Mars et la Lune dans la Maison six jouent un rôle important, la relation des sujets ayant été d'abord à

Figure 21:

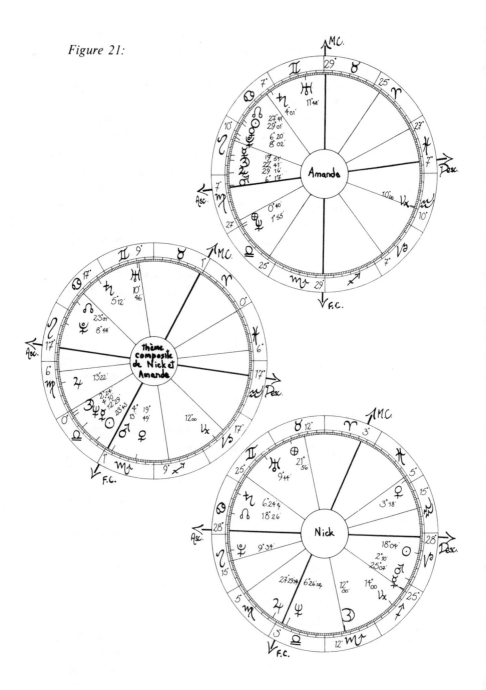

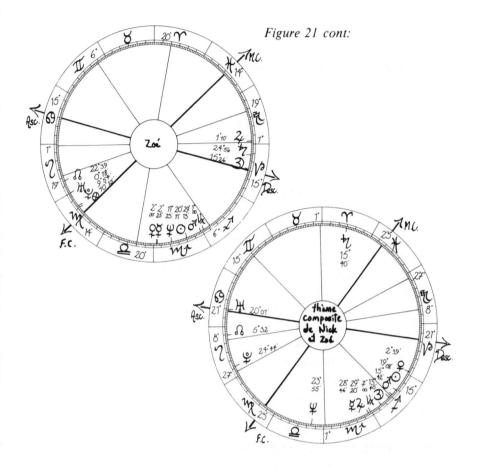

Figure 21 cont:

caractère professionnel et l'aventure qu'ils eurent ensuite s'était déroulée pour une grande part au sein de l'environnement professionnel. Mercure et Jupiter dans la Maison cinq indiquent qu'ils se plaisaient beaucoup et qu'ils aimaient créer des choses ensemble. Au premier abord, Saturne exalté formant un trigone avec le Soleil et la Lune pourrait présager une relation durable, mais l'étroite conjonction d'Uranus avec l'ascendant, en carré avec Saturne, fit que leur union ne se prolongea guère, bien qu'elle fût significative. (Dans le rapport synastrique, en outre, l'Uranus de Zoé était en opposition à la planète Vénus de Nick, annonçant un coup de foudre mais non pas une attirance durable.)

La relation de Nick et Zoé, qui se prolongea un peu plus d'un an, coïncidait avec une progression de leur MC composite vers un carré de leurs ascendant et Uranus composites. La Lune en progression composite était au Sagittaire et entrait en contact avec leurs planètes Sagittaires dans la Maison six par le biais de la relation. (L'ascendant en progression de Zoé était à 28° du Cancer formant une conjonction avec l'ascendant natal de Nick.) Uranus était mis bien en évidence également, comme on pourrait s'y attendre avec cette planète en conjonction étroite avec l'ascendant dans le thème composite. Uranus en transit allait et venait entre le Mars natal de Zoé à 29° du Scorpion et leur conjonction Mercure/Jupiter composite. Le FC d'Amanda est également situé à 29° du Scorpion. Le Soleil en progression composite de Nick et d'Amanda était conjoint au Mars en progression composite, toujours à 29° du Scorpion. Comme on pourrait l'imaginer, avec Uranus en transit tellement actif dans tous les thèmes, aussitôt que cette planète se fût éloignée du sensible 29° du Scorpion, la relation entre Zoé et Nick s'effondra, mais non sans laisser des séquelles.

Pour Zoé, la relation avec Nick était sa première aventure importante et elle fit ressortir chez elle une grande partie des expériences inscrites en potentiel dans son thème de nativité. Avec Uranus en transit conjoint à son Mars natal, cette planète ne fit pas qu'éveiller sa sexualité mais lui permit de réaliser une expérience entièrement uranienne avec un homme marié, qui à son tour reflétait son influence Cancer/Capricorne dans la Maison sept. La forte accentuation des Maisons cinq et six dans le thème composite se reflétait amplement au sein de la relation (même le maître de la Maison sept, Saturne, était placé dans la Maison dix de la profession). La position efficace d'Uranus sur l'ascendant composite suggérait que cette relation tendait à l'évolution et qu'elle n'était pas propice à des liens conventionnels et prolongés. De plus, la présence de Neptune dans la Maison quatre indiquait que la relation reposait sur des idéaux et des chimères et que sa base était peu solide. Que le vertex de Zoé soit conjoint à son Mars et donc tributaire du transit d'Uranus confirme l'idée d'un rapport marqué par le destin relié à une figure importante et influente.

Pour Amanda, l'aventure de Nick et de Zoé ne fut pas aussi traumatisante qu'elle s'y serait attendue. Bien que la séparation et le divorce fussent envisagés, Amanda se convainquit qu'elle était responsable au même titre que Nick de l'état de leur mariage; elle ne se cacha donc pas dans sa carapace cancérienne, et ne blâma pas Zoé d'être l'archétype de la "briseuse de mariage". En dépit de son sentiment d'être dans un état passif face à la relation, elle est considérée par Nick comme une importante source d'énergie au sein de la relation. (Avec Mars ascendant dans le thème de naissance d'Amanda, l'opinion de Nick est certainement fondée.) Avec une Maison sept gouvernée par Neptune, Amanda a tendance à viser des objectifs irréalistes quant à ses relations et a une vision trop romanesque du mariage. Bien qu'affectée par l'état de son mariage, elle considérait qu'il valait la peine de renflouer leur union. Par Uranus en transit vers son FC, elle a supporté de nombreuses ruptures au sein de sa vie familiale et un bouleversement complet au niveau affectif. Toutefois, Uranus ne brisa pas complètement le mariage mais permit plutôt à une nouvelle situation de prendre corps.

La profonde expérience affective et créatrice qui fut celle de Nick avec Zoé semblait remplir le vide laissé par son mariage. Cependant, quelques mois après le début de son aventure, il eut les mêmes doutes et les mêmes difficultés qu'au sein du mariage. Finalement, lui-même et Amanda consultèrent des conseillers matrimoniaux qui les aidèrent à prendre une distance par rapport à leurs problèmes et à analyser la façon dont ils y contribuaient eux-mêmes. Nick se rendit compte que son grand besoin de création était lié à un désir non moins fort d'accomplissement et de reconnaissance (élément typique d'un contact Mars/Saturne dans un thème astral d'homme). Cette contrainte allait au-delà de ses besoins au sein du mariage et cachait son impuissance affective, ce qui, à son tour, bloquait ses réactions sexuelles. L'exaltation qu'il recherchait dans les relations s'apparentait à celle que lui apportait sa carrière. Ainsi, il recherchait cette stimulation continuelle à travers de nouvelles aventures qui lui évitaient simultanément d'affronter ses problèmes fondamentaux. Bien que le mariage le comblât en tant que père, il ne trouvait pas "l'exaltation" qu'il recherchait chez Amanda, non plus qu'il ne pouvait soutenir longtemps cette exaltation dans ses aventures.

Amanda considère toujours que le mariage constitue la voie privilégiée d'échanges sexuels et affectifs et fut frustrée par la réaction peu enthousiaste de Nick. Du moment qu'elle accepta chez lui ce besoin de réussite dans sa carrière, qui était et serait toujours pour Nick de la plus haute importance, elle commença à moins exiger de lui et à mieux le comprendre. Amanda se rendit également compte qu'elle s'était aliénée au profit de sa famille, de sorte qu'elle commença à envisager la possibilité d'entreprendre une carrière.

Les thèmes composites de Nick et d'Amanda ne constituent pas l'exemple parfait d'une relation amoureuse (2). Leur Soleil composite tombe dans la Maison trois de la communication (avec la Lune, Neptune et Mercure). Il n'est pas de bon augure que le Soleil soit le maître du thème et qu'il ne forme aucun aspect. Cela indique que la communication n'est pas bien établie au sein de la relation. Le besoin chez eux de parler de leurs expériences quotidiennes — Amanda de la vie monotone de l'école, et Nick de l'univers "brillant" du théâtre — indiquait chez chacun un manque évident de compréhension et de réponse de la part de l'autre. Graduellement, l'écart s'élargit entre eux et bien qu'il y eût beaucoup de verbiage, il n'y avait aucune communication *réelle*.

Pluton dans leur Maison douze composite indique que leurs forces conjointes étaient très réprimées au sein de la relation et, bien que cette planète donne lieu à des aspects bénéfiques à cause de la conjonction Lune/Neptune en Maison trois, elle est également en carré avec Mars et Vénus dans la Maison six — d'où tous les blocages et problèmes sexuels. La conjonction Lune/Neptune est susceptible d'indiquer une union spirituelle, mais dans le cas de Nick et d'Amanda, cela s'est manifesté comme une espèce de brouillard affectif qui rendait encore plus difficile la communication de leurs sentiments réciproques. Cependant, il y a un magnifique trigone Vénus/Jupiter (ce dernier étant dans la Maison des sentiments et des valeurs partagées) ainsi qu'un trigone entre Mars dans la Maison quatre et Saturne. Ces deux aspects suggèrent l'entente et indiquent la voie vers un mariage plus heureux.

---

2. Incidemment, le Soleil en progression composite était conjoint à Vénus composite au cours de l'année de leur mariage.

Hélas, l'histoire n'est pas terminée. Nick et Amanda essaient toujours de remettre leur mariage à flot. Durant cette période de crise, non seulement Uranus fut-il bien en évidence mais Pluton transitait dans leur Soleil composite, rendant pleinement conscientes toutes les forces réprimées de la Maison douze. Avec d'autres transits de Saturne et Pluton à venir au cours des trois prochaines années (Pluton en transit sera en carré simultanément avec l'axe ascendant/descendant et le Soleil d'Amanda, puis conjoint à leur FC composite), leur mariage sera mis à dure épreuve. Étant toutefois sortis unis de leur expérience uranienne, ils pourraient très bien évoluer davantage par le biais des transits de Pluton qui sont à venir.

Chapitre sept

Le prince et
la princesse de Galles

*Et ne croyez pas pouvoir dicter le cours de
l'amour, car l'amour, s'il vous trouve digne,
dirige votre cours.*

Kahlil Gibran

J'ai commencé à rédiger cet ouvrage dans l'été 1981, presque le jour même du mariage du prince Charles avec Diana Spencer, aujourd'hui princesse de Galles. Il semble donc approprié d'y joindre leur profil synastrique.

Le public britannique, qui se fiait aux prévisions de la presse, des chroniqueurs d'événements sociaux et même des astrologues, s'attendait depuis de nombreuses années à ce que Charles épousât telle ou telle dame de l'aristocratie ou de la royauté. C'était devenu une sorte de passe-temps national, un peu comme de prédire le gagnant du Derby. Après que le prince Charles eut révélé à la presse que trente ans lui semblait un bon âge pour se marier, Fleet Street jetait son dévolu sur toute femme qu'accompagnait Charles; mais les trente ans de Charles s'envolèrent sans qu'apparût la princesse de Galles. Toutefois, à l'automne 1980, l'attention des médias se porta sur une modeste et jolie jardinière d'enfants qui passait de plus en plus de temps dans l'entourage royal. Les rumeurs atteignirent leur apogée en janvier 1981 et finalement, un mois plus tard, à la fin de février, le palais de Buckingham annonçait leurs fiançailles.

Jusqu'au jour de son mariage, en 1981, le prince Charles était le célibataire le plus couru au monde. Ses aventures romanesques défrayaient périodiquement la chronique, de sorte qu'il avait la réputation d'être un "tombeur". La distance apparente qu'il prenait par rapport au mariage et la préoccupation de ses parents de lui voir suivre les traces de son grand-oncle Édouard VIII faisaient de lui la tête de turc de nombreux articles satiriques et de sketchs de télévision (qui n'étaient habituellement pas méchants). Cependant, un seul coup d'oeil à son thème de naissance (figure 22) aurait atténué toutes les angoisses. Avec son ascendant en Lion, son Soleil en Scorpion et sa Lune en Taureau (signes qui sont tous fixes), Charles prend ses responsabilités très au sérieux mais n'est pas la personne à qui on peut dire quoi faire. Il était donc très au courant de ses responsabilités envers la famille royale et de l'urgent besoin de poursuivre la lignée; cependant, il refusait obstinément de se marier avec une personne qui ne lui convenait pas.

Dans le thème de Charles, l'influence féminine est très prononcée. La Lune en Taureau et Vénus en Balance sont respectivement exaltées et dominantes et forment de nombreux aspects. La Lune exaltée en Taureau est en conjonction étroite avec le Soleil de la reine en Taureau, ce qui indique non seulement l'étroite relation que Charles entretient avec sa mère, mais l'importante influence qu'elle eut par rapport à son choix amoureux. La Lune forme le sommet d'un grand trigone Saturne et Jupiter, ce qui témoigne d'une union stable et prolongée. Le trigone Lune/Jupiter indique un grand amour de la famille et une expression généreuse des sentiments. Paradoxalement, le trigone de la Lune avec Saturne indique qu'il contrôle ses émotions et qu'il est peut-être trop discipliné, voire austère. L'union de ces trois planètes établit cependant une bonne base quant au bonheur et à la stabilité du mariage. Le sextile Lune/Uranus fait jouer l'absence d'orthodoxie et indique également qu'il a besoin d'un surcroît de plaisir et d'exaltation au sein de ses relations.

Sa Vénus angulaire en Balance dans la Maison quatre reflète également son amour de la famille. Vénus en sextile avec Mars et Pluton, et à mi-chemin de ces deux planètes, témoigne d'une nature passionnée et d'un besoin d'expériences amoureuses profondes (ceci est également reflété par son Soleil Scorpion en Maison cinq, en carré avec Pluton dans la Maison un). Vénus conjointe à Neptune indique qu'il est romantique et idéaliste et qu'il recherche la femme parfaite. Hélas, cette union de Vénus et Neptune suscite trop souvent des déceptions amoureuses et parfois la perte ou le sacrifice de l'être aimé. Cet aspect particulier de la conjonction Vénus/Neptune peut avoir opéré en 1977, alors que Neptune en transit était en sextile avec la conjonction Vénus/Neptune et que Pluton en transit était conjoint à son FC. L'été précédent, d'importantes rumeurs couraient quant à une relation sérieuse entre Charles et Davina Sheffield, elle-même type fortement Poissons (reflétant la conjonction Mars/Vénus de Charles). Mais après

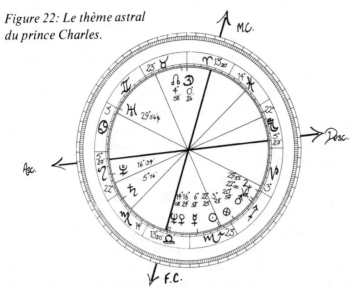

Figure 22: Le thème astral du prince Charles.

qu'elle eut dévoilé dans un journal populaire les détails de son aventure avec un ex-amant, le tout accompagné d'une photo d'elle-même et de Charles se baignant "dans le plus simple appareil" dans une anse abritée, la liaison fut rompue et tout espoir de mariage annulé.

Charles a une dominante uranienne dans la Maison sept, autre indice de son besoin de relations exaltantes et stimulantes avec des femmes peu ordinaires. Bien que ce ne soit que des ragots, certaine rumeurs couraient avant son mariage sur ses diverses aventures avec des femmes mariées — les dominantes uraniennes de la Maison sept reflètent souvent cette idée. Uranus s'oppose à un Jupiter expansif et bouillonnant — aspect qui contribue sans doute à son assez grand sens de l'humour et à sa prédilection pour le gag. Cet aspect indique également qu'il est attiré par une femme possédant un sens de l'humour égal au sien et qui apprécie l'inattendu.

Au cours de 1979, des rumeurs recommencèrent à circuler dans Fleet Street sur la liaison de Charles avec la princesse belge Marie-Astride. La reine et la famille de Marie-Astride se rendirent visite et on demanda l'avis du pape, qui fut très favorable à un mariage. (Marie-Astride est Soleil Verseau avec son Uranus en trigone avec le Soleil de Charles, reflétant parfaitement son Uranus dans la Maison sept; la planète Vénus de Marie-Astride est aux Poissons et elle a une conjonction Lune/Pluton, cette dernière s'accordant avec le Soleil Scorpion de Charles. D'une certaine façon, l'union eût pu être heureuse, mais avec le Saturne en Scorpion et le Soleil en opposition avec la Saturne Scorpion et le Soleil en opposition avec la conjonction Lune/Pluton (tous dans des signes fixes), l'union aurait été quelque peu cahoteuse. Le mariage, bien sûr, n'eut jamais lieu. Il faut croire qu'aucune solution ne fut trouvée quant à la loi de 1689, interdisant à un monarque britannique d'épouser une catholique romaine. Peut-être la conjonction Vénus/Neptune de Charles reflétait-elle cette déception et cette difficulté relative au mariage.

On ignore l'ampleur de sa déception, car 1979 fut également l'année du début de sa liaison avec Lady Diana! Enfant, celle-ci était proche de la famille royale — elle naquit au domaine Sandringham. Son enfance fut marquée par le divorce de ses parents et sa séparation ultérieure d'avec sa mère, à laquelle elle était très attachée. Durant son enfance également, son père manqua de mourir d'une hémorragie cérébrale, qui l'affecta durant de nombreuses années ensuite. À l'école, elle préférait la danse aux mathématiques et, bien qu'elle ne fût pas portée aux études, les autorités scolaires avaient une bonne opinion d'elle et elle jouissait d'une bonne réputation auprès de ses camarades. La danse, les travaux domestiques et les enfants étaient les choses les plus importantes pour elle; après un court séjour dans une école d'arts d'agrément en Suisse (interrompu à cause du mal du pays), elle devint jardinière d'enfants au sud-ouest de Londres. D'après une camarade de classe, l'ambition de Diana dans son enfance était d'épouser le prince de Galles, ce qui témoigne d'une certaine aptitude prophétique ou peut-être d'un esprit de détermination! Bien qu'elle eût fréquenté le prince Charles dans son enfance, ce ne fut pas avant l'adolescence qu'ils se rencontrèrent de nouveau et que Charles vit en elle une "fille pleine de joie et d'attraits".

La princesse de Galles est un Soleil Cancer, chez qui prédominent les planètes en eau et en terre. Par plusieurs traits, elle personnifie le Cancer type, les affaires domestiques et les enfants occupant le plus grande partie de sa vie. Sa sensibilité innée et son amour de la musique et de la danse sont aussi des traits typiquement cancériens. Toutefois, derrière cette façade de gentillesse et de sensibilité se cache un esprit pétillant et peu porté sur les conventions (ce qui apparaît dans sa Lune Verseau et son ascendant Sagittaire à dominante Jupiter). Il y a également une grande influence de Vénus au sein du thème; le Soleil et Mercure sont dans la Maison sept et elle a un Milieu-du-ciel Balance avec Vénus, la maîtresse, en Taureau (un autre signe dominé par Vénus) dans la Maison cinq de l'expression de soi. Elle exhale un charme et une féminité de type vénusien et son sens vestimentaire (parfois osé) est devenu la marque de sa personnalité.

Son thème (figure 23) n'est quand même pas dénué d'éléments. Saturne est fort dans son propre signe du Capricorne et en Maison un [1], ce qui indique qu'elle est apte à prendre des responsabilités et capable d'affronter les difficultés de la vie (un facteur qui apparaissait dès l'enfance à travers sa maîtrise de soi et la compréhension qu'elle témoignait à l'égard des difficultés de ses parents). Cependant, l'élément le plus dynamique de son thème est sans doute un carré en T fixe impliquant la Lune en opposition à une conjonction Uranus/Mars en carré avec Vénus. De nombreux astrologues ont parlé en termes éclatants des notions d'indépendance, d'aventure et d'exaltation rattachées à cette configuration (ce qui n'est pas mis en doute), mais une vision plus réaliste ne devrait-elle pas prévaloir? Ce carré en T, impliquant deux planètes féminines, Mars l'ambitieux et Uranus, le "révolutionnaire" imprévisible, ne devrait pas lui faciliter l'accès à une fonction royale conventionnelle. Cette configuration implique qu'elle a besoin d'une grande liberté d'expression et, en dépit de son désir de stabilité, elle a besoin d'être beaucoup stimulée au niveau d'expériences nouvelles et exaltantes. D'une part, par sa seule personnalité, elle peut apporter une bouffée d'air frais au sein de ses relations, qui ne stagnent jamais ou ne sombrent jamais dans la routine. D'autre part, si son mariage lui impose trop de contrainte, elle partira à la recherche d'expériences plus exaltantes. En tant

---

1. Comme Saturne n'est qu'à 2° de la cuspide de la Maison deux, on pourrait dire que Saturne se trouve dans cette Maison. Paradoxalement, cette position de Saturne est fréquente chez les millionnaires; Charles a également un Saturne dans la Maison deux!

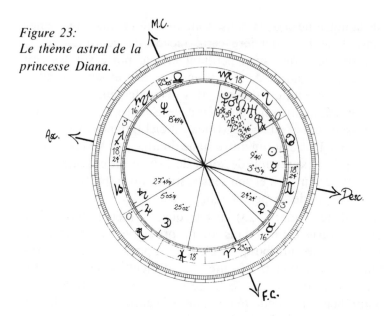

Figure 23:
Le thème astral de la
princesse Diana.

que future reine d'Angleterre, cette dernière possibilité est impensable encore que possible — mais là encore, il y a vingt ans à peine, il était impensable de recourir au divorce au sein de la famille royale!

Les seules planètes soulageant ce carré en T sont un large trigone formé de la Lune et de Mercure et un autre formé de Vénus et de Saturne. Bien qu'il soit un indice de fertilité (particulièrement alors que Vénus est en Maison cinq), ce dernier aspect possède toujours les caractéristiques les plus inhibitrices et les plus difficiles des contacts Vénus/Saturne. Ainsi, le carré en T présente un défi personnel considérable pour la princesse Diana. Elle devra trouver une façon de résoudre le dilemme entre son besoin de nouveauté et d'exaltation et les obligations auxquelles elle devra se plier en tant que figure principale de la monarchie anglaise.

La princesse Diana a un descendant dominant Gémeaux et Mercure (son maître), de même que le Soleil en Maison sept. Le Soleil et Mercure forment de bons aspects, ce qui augure bien pour le mariage. Le Soleil dans la Maison sept témoigne d'une attirance pour les personnalités fortes — facteur personnifié par Charles, avec son Soleil dans la Maison cinq et son Lion ascendant. Mercure forme un trigone avec Neptune et un sextile avec la conjonction Mars/Pluton de la princesse Diana, ce dernier aspect décrivant exactement un homme de type plutonien, avec un fort ascendant Scorpion ou Pluton au sein du thème. Mars n'est pas seulement conjoint à Pluton, mais également à Uranus; en fait, Mars est le mi-point d'Uranus et de Pluton.

L'union de ces trois planètes forme un thème puissant, voire violent, et suggère une exposition possible à des situations dangereuses. Il est fort peu probable que Diana suscite elle-même la violence, de sorte que ce peut être là une réflexion du thème de Charles, qui a un carré Soleil/Pluton, Mars formant trigone avec Pluton et une conjonction Mars/Jupiter (en Maison cinq) en opposition avec Uranus. Tout cela indique un amour plein d'aventures et de dangers.

En 1979, alors que Diana avait dix-neuf ans et Charles trente et un ans, leur relation, d'amicale qu'elle était, devint amoureuse. Que leur liaison demeurât ignorée de Fleet Street durant un an, voilà qui en fait un des secrets les mieux gardés de la famille royale. Toutefois, aussitôt que les médias furent saisis de l'affaire à l'automne de 1980, s'ensuivit une surveillance de tous les instants, obligeant virtuellement le palais de Buckingham à faire une déclaration officielle. Après l'annonce de leurs fiançailles, toute l'Angleterre se prépara fébrilement au "mariage du siècle". Le 29 juillet 1981, le Soleil transperça majestueusement les nuages au-dessus de Londres et de toute l'Angleterre, et 600 millions de curieux furent témoins d'un déploiement d'une majesté telle qu'aucune autre nation ne pouvait l'égaler, déploiement qui symbolisait les rêves et les aspirations d'une Angleterre en crise exprimant de façon symbolique sa confiance renouvelée dans l'avenir.

Aujourd'hui que la lune de miel est terminée, le prince et la princesse doivent bien sûr se plier à leurs obligations quotidiennes, comme tout autre couple. Astrologiquement, l'union de Charles et de Diana est merveilleuse. Les deux Soleils sont dans des signes d'eau et il y a une répartition équilibrée des éléments et des attributs au sein du couple. Charles reflète le thème de Diane (exception faite peut-être de la planète Mercure dans la Maison sept) et le côté Verseau uranien de Diana réflète la dominante uranienne de la Maison sept de Charles. La princesse Diana, avec un Neptune exalté en trigone avec sa conjonction Soleil/Mercure, est sensible, rêveuse et pleine de compassion; Neptune est relié à la conjonction Vénus/Neptune en Balance (cette conjonction particulière "rejoint" le Milieu-du-ciel de Diana en Balance et forme un sextile très rapproché avec son ascendant). Le Mars de Charles est conjoint à l'ascendant de la princesse — contact qui indique une forte attirance physique — et le Jupiter de Diana (le maître du thème) est presque exactement conjoint (écart de moins de 16') au descendant de Charles. Ce dernier aspect témoigne de beaucoup de bonheur, de succès et de *joie de vivre** au sein de la relation. En fait, il y a plusieurs contacts jupitériens entre les deux thèmes: le Jupiter de Charles est en sextile avec la Lune de Diana, en trigone avec son Mars et en opposition avec son Mercure, alors que le Jupiter de Diana est en carré avec la Lune et le Mercure de Charles. Ainsi, la relation exalte leurs qualités, tant individuellement qu'en tant que couple.

Il est significatif que le Soleil de Charles à 22° du Scorpion soit en opposition avec la Vénus de Diana (élément de forte attirance sexuelle et amoureuse); le Soleil de Charles est également en carré avec le Soleil et avec la planète Uranus de Diana, constituant donc la "quatrième jambe" du carré en T de Diana et formant une Grande Croix dans les signes fixes. Inévitablement émergent des facteurs contraignants; bien que cette configuration témoigne de très forts courants croisés entre eux (ce qui pourrait amener de fortes scènes de ménage), le fait que le Soleil de Charles établisse ce contact indique qu'il y a une grande attirance réciproque. En un sens, le Soleil de Charles sert à ancrer le carré en T et offre un moyen d'expression positif à l'énergie déployée. Un autre inter-aspect qui constitue une véritable gageure au niveau des deux thèmes est la conjonction de la planète Saturne de Charles avec les planètes Mars et Pluton de Diana. L'union karmique ne peut pas ne pas être évoquée ici, non plus que la manifestation plus typique Mars/Saturne/Pluton du contrôle et de la répression des forces. Peut-être que la maîtrise personnelle innée de Charles peut parfois laisser une impression de froideur; il peut se sentir obligé de remettre Diana à sa place, ce qui peut brimer la personnalité expansive et friande de liberté de cette dernière. La planète

---

*En français dans le texte. (*N. D. T.*)

194

Saturne de Diana est également en carré avec la Lune de Charles, de sorte que chacun d'eux devra se méfier de la tendance à l'exaltation et à la froideur, de même qu'à celle de se replier sur soi une fois blessé. Tant le Scorpion que le Cancer ont tendance à s'écarter des situations difficiles en même temps qu'à les ressasser dans leur for intérieur de sorte que, de temps en temps, il pourrait y avoir des périodes prolongées de froideur silencieuse à Highgrove. Bien que leurs Soleils se complètent, les Lunes tombent dans des signes en carré, ce qui peut amplifier la froideur affective et l'écart entre conjoints causés par le lien Lune/Saturne. Heureusement, la Lune de Charles est au même signe que la planète Vénus de Diana, et leurs planètes Mercure sont en trigone, ce qui fait que chacune d'elles favorise la compréhension, une bonne communication et un très grand accord réciproque. En fait, le lien Vénus/Neptune de Charles avec l'ascendant et le MC de Diana et l'influence combinée Lune/Vénus en Taureau indiquent un amour des arts partagé (particulièrement de la musique et de la danse) et une grande passion pour la campagne.

L'ascendant de Diana forme un grand trigone avec le Milieu-du-ciel et la planète Pluton de Charles, ce qui indique qu'elle jouera un important rôle dans sa carrière et son destin. De plus, son noeud nord à 29° du Lion (conjoint à l'étoile royale Régulus) est trigone avec le Jupiter de Charles, s'unissant donc à sa forte opposition Uranus/Jupiter. Ce dernier concact et le lien croisé Mars/Pluton/Saturne ont des implications possibles au niveau des modifications radicales que les deux devront affronter au cours de leur règne.

En général, les deux thèmes sont associés par d'importants contacts, la plupart du temps de nature harmonique. Les difficultés qui se présentent ne procèdent pas de la synastrie. Un des problèmes majeurs réside peut-être dans le fait que Diana s'est mariée à vingt ans. Son carré en T fixe indique qu'elle a besoin d'avoir les coudées franches pour faire son expérience de la vie. Un carré Vénus/Uranus et une opposition Lune/Uranus dans un thème de femme donnent lieu en général à quelques aventures amoureuses et à un modèle sous-jacent d'affectivité dévorante. Si Diana s'était mariée plus tardivement, peut-être après le retour de Saturne, elle aurait eu le temps d'épuiser le potentiel de ce carré en T sans avoir à supporter le poids d'un mariage en plus. Qu'elle se soit mariée tôt ne signifie pas nécessairement qu'elle sera malheureuse dans le mariage, mais qu'elle n'appréciera guère les obligations sociales et le protocole rigide rattachés à son titre. On ne peut bien sûr être juge et partie de son propre destin et, comme le thème de la princesse Diana s'accorde étroitement avec tous les thèmes de la Grande-Bretagne (et avec celui de la reine), peut-être que ce mariage hâtif répond à des impératifs plus importants et donne le temps à Diana de se préparer aux profonds changements qui vont affecter la monarchie au début des années 90.

Par le biais du thème composite, l'union de Charles et de Diana est perçue d'une autre façon (voir la figure 24). L'accentuation majeure est ici à la Maison onze, bien que les Maisons angulaires soient également mises en relief. Les exigences de leurs fonctions royales signifient que leur union sera mise à plus rude épreuve que celle des gens ordinaires. Avec leur Soleil et leur Mercure opposite en Maison onze, leur relation ne s'établit pas d'abord sur des liens d'amitié, mais sur un esprit de camaraderie et un partage d'intérêts et d'idéaux communs, intérêts et idéaux qui contribuent à leur tour au succès et à la stabilité de leur mariage. Le thème composite reflète leur harmonie de couple, ce qui constitue un élément important dans les fonctions qu'ils auront à assumer. Le Soleil donc, en tant qu'il représente le pouls de la relation, forme un sextile avec Saturne et un trigone avec un Jupiter angulaire, ce qui donne lieu à une grande stabilité et à une grande force morale, indiquant en outre qu'en tant que couple ils dirigeront la nation avec fermeté. Jupiter, en étroite conjonction avec le FC, exerce une forte influence bénéfique; les racines de cette relation plongent donc dans un sol fertile de sorte que la relation devrait prospérer tant affectivement que matériellement et spirituellement. En fait, la position de Jupiter et ses aspects bénéfiques s'établissant vers le Soleil et Saturne offrent une sorte de défense infranchissable contre les aspects moins favorables du thème composite. Ce n'est pas sans raison que le vertex composite tombe exactement sur l'ascendant composite — indiquant sans doute une union marquée par le destin.

Avant d'aborder les problèmes principaux, il serait bon de noter que Vénus, la maîtresse du thème (conjointe à l'ascendant natal de Charles et en opposition avec le Jupiter de Diana), ne

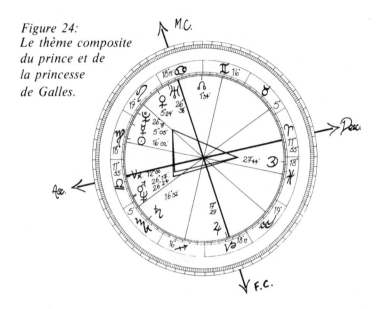

Figure 24:
Le thème composite
du prince et de
la princesse
de Galles.

forme aucun aspect. Selon les interprétations, de telles planètes jouent un grand rôle ou n'ont aucune signification; dans le cas présent, Vénus pourrait être à l'origine du thème des interaspects, d'où il ressort que les forts sentiments des nouveaux époux (sentiments facilement blessés par ailleurs) imprègnent leur relation d'amour et de haine. Une autre forte possibilité est que tous les deux étant portés sur l'art (Vénus dans la Maison dix), le support qu'ils apporteront à la chose artistique constituera une caractéristique majeure de leur union.

Les difficultés se présentent dans les trois zones principales du thème. En premier lieu, il y a une conjonction exacte Mars/Neptune en Maison un; deuxièmement, Uranus est en Maison dix (conjoint largement au Milieu-du-ciel) et en carré avec la conjonction Mars/Neptune; troisièmement, la Lune est en Maison six et en quiconque avec Mars, Neptune et Pluton, ce qui donne une configuration en forme de "doigt du destin". La conjonction Mars/Neptune a agi particulièrement sur la façon dont ils ont été perçus en tant que couple. Un "conte de fées", un "mariage de rêve", telles sont les phrases qui revenaient sur toutes les lèvres à l'occasion de leur mariage. Il se dégage beaucoup de charisme de la

197

part du couple princier, mais l'image reluisante, éclatante qu'en a le monde est évidemment trompeuse. Le danger tient à ce que tous deux pourraient ne pas s'accommoder tous les jours de cette relation et se laisser aller à la désillusion. Par contre, la conjonction Mars/Neptune pourrait indiquer un profond intérêt pour les oeuvres humanitaires et une sensibilité à l'égard de la souffrance des peuples. Cette conjonction reflète un véritable altruisme et peut-être une grande union spirituelle.

Certains astrologues ont émis l'opinion que des problèmes sexuels se présenteront. Il est certain que la conjonction Mars/Neptune ne vient pas atténuer ces craintes. Neptune diffuse l'énergie (sexuelle et autre) de Mars, ce qui implique que leur union pourrait devenir platonique, surtout parce qu'il n'existe aucun interaspect Vénus/Mars et non plus au sein du thème composite. En outre, Saturne en Maison deux composite indique une certaine absence de sentiments et d'attrait sexuel. Cependant, il est très difficile de se prononcer car, bien que la faiblesse de l'échange Mars/Vénus et la "forte" influence Mars/Neptune semblent indiquer une relation à caractère plutôt platonique, la configuration Lune/Mars/Pluton témoigne de sentiments très intenses. Mars également en tant que maître de la Maison sept composite, donne souvent naissance à des sentiments ambivalents au sein d'une relation, et en dépit de l'effet atténuateur de Neptune sur Mars, le sextile formé avec Pluton et le carré formé avec Uranus constituent de puissants déclencheurs d'énergie.

Mars et Neptune en carré avec Uranus dans la Maison neuf ont d'importantes implications sur l'avenir de cette union. Uranus composite dans la Maison dix indique que le couple ne se pliera pas aux conventions et que le prince et la princesse de Galles inaugureront un nouveau style de royauté. Mars, le maître de la Maison qui gouverne leur relation, en carré avec Uranus, implique qu'ils devront s'adapter à des changements brusques et imprévus et que le ton implicitement révolutionnaire de cet aspect (ajouté à l'idéalisme de Neptune) peut ne pas jouer qu'au sein de la relation, mais également sur leur statut et sur la position qu'ils occupent dans le monde. Cet aspect reflète évidemment la nature uranienne de leurs thèmes natals, de sorte qu'on peut le percevoir en termes très positifs. Cette absence de goût pour les conventions et la bureaucratie renouvellera la vision de la monarchie; de plus, Charles et Diana se présenteront comme deux individus distincts plutôt que comme un tout indissociable. Malheureusement, le carré Mars/Uranus n'est pas l'aspect le plus désirable dans une relation prolongée (particulièrement si Mars est maître de la Maison du mariage et conjoint à Neptune), en sorte qu'une grande partie de l'union repose sur l'influence stabilisatrice générale et sur le degré d'influence du couple Jupiter/Saturne.

La Lune composite dans la Maison six apporte un élément de disponibilité à leur relation. Parfois, la Lune composite dans cette position témoigne d'une relation qu'il n'est pas facile de maintenir sur le plan affectif — facteur qui apparaît déjà dans leurs signes lunaires en carré et dans l'interaspect Lune/Saturne. Dans son ouvrage, *Planets in Composite*, Robert Hand dit d'une Lune composite en Maison six qu'"elle indique que [le couple] a l'impression d'être ensemble pour un but ou un objectif particulier et nécessaire qui peut ne pas être très intéressant... Un conjoint peut se sentir manipulé par l'autre; il (elle) peut donc s'en lasser et se révolter." Par rapport à l'influence uranienne, cette dernière affirmation peut sembler un peu provocatrice! Heureusement, la Lune composite est en trigone avec Uranus composite et offre donc de grandes possibilités d'"évolution" et de participation à des expériences peu ordinaires et exaltantes.

La Lune composite au zénith de la configuration du "doigt du destin" renforce l'idée d'une relation visant à apporter une contribution importante au monde. Comme son nom l'indique, cette configuration recèle le thème de la fatalité. Les planètes impliquées créent une sorte de "chaîne d'énergie", un peu comme un circuit électrique, qui forme un modèle où les buts seraient irréalistes et amèneraient des déceptions certaines (Lune/Neptune) accompagnées de sentiments très forts (Lune/Pluton). Le sextile Mars/Pluton offre cependant la possibilité de participer à une transformation conjointe au sein de la relation, ce qui à son tour pourrait donner lieu à un effet similaire chez d'autres couples. Plus que tout autre couple princier, le prince et la princesse de Galles seront près du peuple; leur union constituera certes un précédent.

Au cours des deux années qui ont précédé leur mariage, le prince Charles et la princesse Diana ont eu dans leurs thèmes des transits et des progressions intéressants et significatifs. En 1979, Jupiter transitait en Lion, en opposition avec le Jupiter de Diana conjoint à l'ascendant de Charles et à leur planète Vénus composite. En août, Jupiter était en carré avec le Soleil de Charles, conjoint à l'Uranus de Diana et en opposition avec sa Lune. Uranus était conjoint au Soleil de Charles à la fin de l'automne 1979, mettant en branle le carré en T de Diana et activant le potentiel de leur relation uranienne. En 1979 également, Neptune transitait dans l'ascendant de Diana, l'imprégnant d'une aura d'irréalité et de sensibilité exacerbée, ce qui est typique de l'amour. Le facteur le plus important est que Pluton en transit se dirigeait vers une conjonction de son Milieu-du-ciel (ce qui se produisit en 1981). Ce transit de Pluton représentait un important changement de direction et il transforma son statut du tout au tout. Au cours de 1980, Saturne et Jupiter transitaient dans leur Soleil composite (faisant ressortir la configuration Jupiter, Saturne et Soleil au sein du thème composite).

Par progression, le Soleil de Diana atteignit une position où il était en opposition précise à son Saturne natal (1979), tandis que son ascendant en progression s'opposait à son Mercure (maître du descendant). La Vénus en progression de Charles à 24° du Scorpion était tout juste dans l'orbe de son Soleil natal (bien qu'elle lui touchât précisément dix-huit mois plus tôt) et en opposition avec la Vénus natale de Diana. L'ascendant en progression de Charles était en opposition avec sa Lune et son Soleil en progression était en trigone avec l'Uranus de Diana. La planète Mercure en progression de Diana (maître de la Maison sept) était en trigone avec le Mercure de Charles et la Lune en progression de Diana entrait en contact avec sa conjonction Vénus/Neptune au mois de septembre 1979. En 1981, le Saturne en progression de Charles revint sur ses pas et son MC en progression formait un carré avec son maître du Soleil, Pluton. D'un point de vue plus optimiste, le Soleil en progression de Charles était en sextile avec la Lune natale de Diana et, avant le mariage, la Lune en progression de Charles à 9° du Cancer était conjointe au Soleil de Diana. Il est significatif que le Soleil en progression composite atteignit la conjonction de l'ascendant et du vertex composite en 1981, tandis que la planète Vénus en progression composite (maîtresse du thème) se rendait à 5° de la Vierge, arrivant donc en conjonction avec la planète Mercure composite et la Vénus du thème du mariage.

Les liens qui existent entre le thème du mariage princier (figure 25), le thème composite et les thèmes natals du prince et de la princesse de Galles (figures 22, 23 et 24) sont assez étonnants; ces liens sont si évidents, en fait, que de nombreux astrologues ont émis l'hypothèse que la date et l'heure du mariage avaient été déterminés de façon astrologique. Le Soleil du mariage, à 6° du Lion, est conjoint à l'ascendant de Charles et à la planète Vénus composite et en opposition avec le Jupiter de Diana. Le Soleil du mariage est également sextile avec la conjonction Jupiter/Saturne sur l'ascendant (du mariage), faisant jouer encore une forte influence Jupiter/Saturne. La configuration Jupiter/Saturne/ ascendant à 5° de la Balance forme un lien direct avec la planète Vénus composite ("natalement" et par progression). De plus, comme il y a diverses planètes et divers points dans le thème du mariage à 5° des signes, tous ces "corps planétaires" seront activés dès qu'un transit ou qu'une progression quelconque se rendra à 5° de tout signe.

On pense que le cycle Jupiter/Saturne exerce une influence significative sur les événements mondiaux, de sorte que la présence de cette conjonction à l'ascendant du mariage exerce non seulement une influence importante sur la relation, mais reflète également l'importance de l'union de Charles et de Diana aux yeux du monde. La puissance et la force morale qui émergent du thème composite sont renforcés par la conjonction Jupiter/Saturne dans le thème du mariage, et même si Mars est en carré par rapport à celle-ci, les liens du mariage uniront fortement les conjoints. Comme pour le thème composite, la Maison onze de l'amitié est accentuée parce que, dans ce cas, Vénus, maîtresse du thème, se trouve dans cette Maison. En fait, Vénus est à mi-chemin de la conjonction Soleil/Jupiter/Saturne et de l'ascendant, ce qui indique du succès en amour. En guise de gratification supplémentaire, le Soleil est situé à mi-chemin de Vénus et de Mars, symbole de mariage et d'heureuse union des principes mâles et femelles.

Bien que cela sorte du cadre d'un ouvrage sur la synastrie, il est néanmoins tentant de spéculer sur l'avenir. En dépit du fait que l'astrologie soit mieux acceptée en tant qu'instrument psycho-

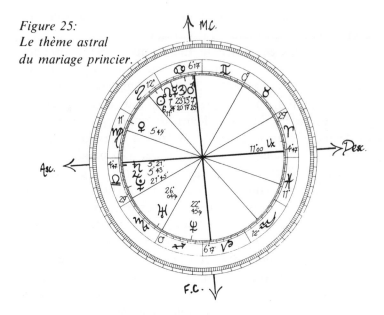

Figure 25:
Le thème astral
du mariage princier.

logique, on ne peut ignorer son utilité en tant que méthode prévisionnelle. La difficulté de la prédiction astrologique réside bien sûr dans le fait qu'il y a tellement de variables que choisir les bonnes relève souvent de la chance. Néanmoins, l'étude des thèmes conjurés du prince et de la princesse de Galles m'a fait voir à ma grande surprise combien sont nombreux les contacts s'établissant entre leurs thèmes (et particulièrement le thème astral de la princesse Diana) et les trois grands thèmes de la Grande-Bretagne (2). Une analyse détaillée révèle, en effet, que tous les membres de la famille royale ont des planètes entre 20° et 26° des signes fixes (avec une accentuation particulière à 22°), comme le démontre d'ailleurs le tableau ci-dessous. Ainsi, quand un transit majeur ou une éclipse se produit aux environs de 22° du Lion, du Verseau, du Taureau ou du Scorpion, les répercussions se font sentir dans toute la famille. Par exemple, lors de l'assassinat de Lord Mountbatten en août 1979, la Lune, Mercure et Jupiter se trouvaient tous entre 22° et 25° des signes fixes, tandis qu'Uranus en était rapproché, à 17° du Scorpion.

---

2 Voir en annexe.

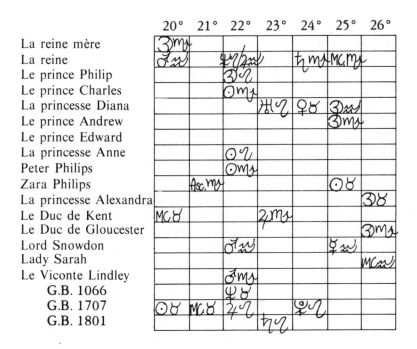

Figure 26: Les planètes significatives se trouvant entre 20° et 26° des signes fixes dans les thèmes astraux de la famille royale.

En 1982, Jupiter transite dans le Scorpion, constituant des aspects importants et bénéfiques à la fois pour les thèmes de la princesse et du prince de Galles. La naissance de leur premier enfant est un événement tout à fait jupitérien — Jupiter étant la planète de la croissance, de l'expansion et de la joie! De fait, à la mi-juin, Jupiter est en opposition avec la Lune du prince et en sextile avec la planète Mars de Diana et, le 19 du même mois, tant Vénus que la Lune arrivent à 22° du Taureau. En novembre, Jupiter arrive à 22° du Scorpion, d'abord conjoint au Soleil de Charles, puis déclenchant le carré en T de Diana. Leur popularité, qui est déjà grande, est portée à augmenter encore (peut-être à l'occasion d'une longue tournée mondiale) et le prince Charles paraîtra plus optimiste, plus joyeux et plus expressif.

En 1985, Saturne en transit atteindra les derniers degrés du Scorpion, arrivera donc en conjonction avec le Soleil de Charles et déclenchera le carré en T de la princesse Diana. Pluton à 5° du Scorpion sera en carré avec l'ascendant de Charles, le Jupiter de Diana et leur planète Vénus composite. En général, ces aspects offrent un défi, mettant une responsabilité supplémentaire sur les épaules de Charles et limitant encore la liberté d'expression déjà restreinte de Diana, ce qui pourrait mettre beaucoup de pression sur leur mariage. Intéressantes aussi sont les progressions. Le Soleil en progression du prince Charles sera conjoint à son Jupiter radical, déclenchant donc l'opposition Jupiter/Uranus, tandis que son ascendant en progression sera en trigone à la fois avec la Lune de Jupiter et son Mercure en progression sera en trigone avec le noeud. L'ascendant en progression de Diana est en deçà d'un degré de l'opposition à son Soleil natal. Toutes ces progressions sont favorables et même le contact Jupiter/Uranus est exaltant et expansif, offrant de nouvelles perspectives à Charles. De plus, l'ascendant en progression de la reine sera à 22° du Taureau, s'opposant donc au Soleil de Charles. En outre, 1985 marque le second retour de Saturne. Ces progressions et transits annoncent une importante période au cours de laquelle se produiront de nombreux changements et se présenteront de multiples occasions favorables, impliquant toujours la reine et le prince Charles. Ces changements se refléteront sans doute à travers le monde (par suite particulièrement de l'implication du sensible 22° du Scorpion). Il est possible qu'il y ait des changements au sein de la monarchie elle-même, alors que Charles et Diana assumeront un rôle prééminent tandis que la reine sera reléguée au second rang. Avec Pluton en carré avec l'ascendant de Charles (d'une position en Maison quatre), il devrait y avoir des modifications fondamentales dans sa famille et dans sa maison, accompagnées d'un important changement d'orientation. Il est également possible qu'un autre enfant naisse au cours de cette année*, auquel cas cet enfant aura une grande signification.

Tout au long des dernières années de la décennie 80, il y aura de nombreux transits vers des points importants du thème des

_____
*1985. (N.D.T.)

membres de la famille royale et des thèmes de la Grande-Bretagne. Comme Uranus symbolise le changement révolutionnaire, les situations se modifieront très rapidement et brusquement au cours de cette période. L'époque la plus troublée cependant se situera au début des années 90. En 1991 et tout au long de 1992, Pluton sera à 22° du Scorpion et conjoint au Soleil de Charles. Ce contact fera sourdre le carré natal Soleil/Pluton qui est puissant et transformateur, mais aussi violent et perturbateur. Au cours des trois années 1991, 1992 et 1993, Jupiter et Saturne passeront respectivement par le Verseau et le Lion et Uranus se déplacera entre 9° et 19° du Capricorne, initialement en opposition avec le Soleil de Diana et la planète Pluton de la reine et conjoint à des points majeurs des thèmes de la Grande-Bretagne.

En 1993, Uranus et Neptune seront conjoints à l'ascendant de la reine ainsi qu'au FC composite de Diana; simultanément, Pluton sera conjoint au Milieu-du-ciel de la reine à 25° du Scorpion. À ce moment également (décembre 1993), Saturne en transit sera à 25° du Verseau (conjoint à la lune de Diana, en carré avec la planète Saturne et le Milieu-du-ciel de la reine). Les progressions majeures de cette époque comprennent la conjonction de l'ascendant en progression de Charles avec le Saturne natal et une progression de la planète Vénus (maîtresse du Soleil) de la reine pour entrer en opposition avec son Milieu-du-ciel et Saturne — toutes choses qui indiquent des problèmes, des bouleversements et des changements. Diverses hypothèses peuvent être envisagées: Charles accédera au trône par suite de l'abdication ou du décès de la reine; Charles pourra déjà avoir accédé au trône, auquel cas la monarchie (et le pays) devront traverser une période de turbulence à laquelle succédera un nouvel ordre social. Inversement, ces transits et progressions pourraient ne jouer que sur un plan strictement personnel et à l'intérieur de la famille royale elle-même. Toutefois, comme les thèmes de Grande-Bretagne sont également impliqués, ces changements auront un effet à une échelle plus grande (probablement à une échelle mondiale).

On ignore bien sûr ce que leur réserve le destin. Le modèle fondamental des thèmes du prince Charles et de la princesse Diana recèle un potentiel intéressant. En étudiant leur thème composite, j'ai acquis la conviction qu'il y a là deux thèmes distincts. D'une part, il y a une importante force stabilisatrice (Soleil en trigone avec Jupiter et en sextile avec Saturne; Soleil en sextile et Saturne en trigone avec le Milieu-du-ciel.), facteurs renforcés par des configurations favorables dans le thème du mariage. D'autre part, sont présentes des forces excessivement perturbatrices et chaotiques (Uranus dans la Maison dix, en carré avec Mars conjoint à Neptune et au "doigt du destin"). Cela semble indiquer que l'union du prince et de la princesse de Galles est très solide mais que l'institution qu'ils personnifient passera à travers de sérieux bouleversements et de nombreux changements, certains d'entre eux se produisant de façon brusque et imprévue.

Il y a une étrange tendance chez certains astrologues qui consiste à amplifier les aspects négatifs. Ainsi, changements et bouleversements annoncés par les aspects natals de même que les transits et les progressions ne doivent pas être abordés avec accablement et crainte, mais avec optimisme et courage. Tout doit changer: il n'existe aucune évolution individuelle ou collective sans changement. Les thèmes astraux du prince Charles et de la princesse Diana reflètent l'époque changeante et incertaine que nous traversons. L'amour et le dévouement qu'ils ont l'un pour l'autre et qu'ils entretiennent à l'égard de leur famille constituent le plus grand gage d'un avenir meilleur. En suivant leur exemple, nous pouvons aborder le XXIe siècle avec confiance et certitude, et peut-être avec une conscience renouvelée de notre force et de nos ressources spirituelles.

Postface

La synastrie constitue un moyen fascinant en même temps que complexe d'analyser le jeu et l'évolution des relations humaines. On a abordé dans ce livre les notions fondamentales de la synastrie, depuis les échanges d'éléments et le potentiel relationnel du thème de nativité jusqu'aux permutations des courants croisés d'énergie qui se développent au sein du couple et à l'évolution de la relation elle-même. Bien que des explications soient fournies quant aux raisons des circonstances particulières et des modèles de comportement par rapport aux facteurs astrologiques, l'astrologie seule ne saurait être tenue responsable de l'issue des relations. Il est évidemment très facile d'interpréter l'astrologie à partir d'événements passés; on doit cependant se souvenir que les symboles d'un thème représentent de nombreux niveaux de l'être — la façon dont l'horoscope sera interprété dépendra beaucoup de l'individu lui-même. Le terme "réflexion" est revenu à de nombreuses reprises tout au long de cet ouvrage. Ce mot recèle peut-être l'essence de la compréhension et de l'usage raisonné de l'astrologie. Chez l'individu se reflètent les thèmes planétaires et lui agit sur eux d'après son propre élan. De diverses façons, on peut comparer l'horoscope au dialogue d'une pièce de théâtre: quelle que soit la valeur du dialogue, un acteur peu doué ou peu intéressé à la pièce ne pourra guère rendre tout son potentiel. De la même façon, on peut voir l'horoscope comme une carte du karma, avec un bagage biologique et psychologique, avec des dons et des expériences "innées" — structure qui laisse filtrer l'essence divine de l'homme. Cette liberté de l'esprit humain laisse une certaine liberté de réaction face à une situation donnée, ce qui à son tour donne lieu à de nouveaux modèles (karmiques).

Qu'ultimement les relations nous servent à acquérir notre plénitude d'être peut laisser croire à une nouvelle découverte psychologique, mais cette idée ancienne fait partie de notre héritage philosophique. L'observation de Platon qui voulait que l'homme fût à l'origine un être androgyne, puis qu'il fût scindé en parties mâle et femelle par les dieux (voir chapitre 2), constitue une version mythique de cette quête de "l'autre moitié". La vie est composée de forces en opposition et tout se trouve en équilibre entre ces forces. La loi cosmique est fondée sur la dualité: terre et ciel, bon et méchant, mâle et femelle, etc. L'amour lui-même procède de l'union des contraires, notion qui transparaît dans les symboles traditionnels de l'amour, comme par exemple le *yin* et le *yang* chinois et le *lingam* indien. Ces symboles expriment la dualité et l'union de deux forces contraires. L'objectif ultime de l'amour est de faire disparaître la dualité et la scission et d'unir les forces en un centre, symbolisé de façon très efficace par l'union sexuelle de l'homme et de la femme: expression physique d'un profond besoin de se consumer et de se fondre dans un autre être de façon à accéder à un état de conscience qui transcende la réalité.

Le but de la synastrie n'est donc pas de dire si une relation est convenable ou si elle va se poursuivre, mais bien de nous amener à une meilleure compréhension de nos rapports humains. En vérité, toute relation est bonne; qu'elle nous rende heureux ou malheureux constitue une tout autre question. Bien que l'on puisse être réticent à poursuivre une relation qui se présente sous de mauvais augures (d'un point de vue astrologique), les difficultés que nous risquons de rencontrer constituent sans doute une part essentielle de l'expérience humaine; comme nous l'avons vu, on évolue plus souvent à travers la souffrance et la confrontation qu'à travers la facilité qui, elle, ne demande aucun effort personnel ni aucune lutte. On pourrait arguer bien évidemment que si l'astrologie peut dévoiler le potentiel inhérent à une relation, il devrait être possible, voire désirable, de ne pas s'engager dans des relations difficiles. Tenter d'échapper à son destin (même si on en avait vraiment le choix) ne mènerait sans doute qu'à une mise en veilleuse de l'expérience ou encore qu'à la naissance d'une situation similaire au sein d'une autre relation. C'est ainsi que chaque relation est susceptible d'assurer une plus grande compréhension, une plus grande connaissance de soi et une plus grande harmonie intérieure; sous ce rapport, la synastrie constitue un excellent moyen d'acquérir une perspective globale de ces diverses réalités. Toutefois, je pense que le destin continuera à jouer son rôle et ce, jusqu'à ce que nous, individus mortels, ayons accédé à la sagesse et au secret de nos sources premières.

Annexe

Planètes, signes et symboles

		Quadruplicité/qualités	*Triplicité/éléments*
BÉLIER	♈	CARDINAL	FEU
TAUREAU	♉	FIXE	TERRE
GÉMEAUX	♊	MUTABLE	AIR
CANCER	♋	CARDINAL	EAU
LION	♌	FIXE	FEU
VIERGE	♍	MUTABLE	TERRE
BALANCE	♎	CARDINAL	AIR
SCORPION	♏	FIXE	EAU
SAGITTAIRE	♐	MUTABLE	FEU
CAPRICORNE	♑	CARDINAL	TERRE
VERSEAU	♒	FIXE	AIR
POISSONS	♓	MUTABLE	EAU

SOLEIL	☉ dominant ♌	exalté ♈	détriment ♒	chute ♎
LUNE	☽ dominant ♋	exalté ♉	détriment ♑	chute ♏
MERCURE	☿ dominant ♊♍	exalté ♍	détriment ♐	chute ♓
VÉNUS	♀ dominant ♉♎	exalté ♓	détriment ♈	chute ♍
MARS	♂ dominant ♈	exalté ♑	détriment ♎	chute ♋
JUPITER	♃ dominant ♐	exalté ♋	détriment ♊	chute ♑
SATURNE	♄ dominant ♑	exalté ♎	détriment ♋	chute ♈
URANUS	♅ dominant ♒	exalté ♏	détriment ♌	chute ♈
NEPTUNE	♆ dominant ♓	exalté ♌	détriment ♍	chute ♒
PLUTON	♇ dominant ♏	exalté —	détriment ○	chute —

NOEUD NORD	☊
VERTEX	∨
PART DE FORTUNE	⊕
ASCENDANT	Asc.
DESCENDANT	Desc.
MILIEU-DU-CIEL	MC
FOND-DU-CIEL	FC

Chapitre 1

Les maisons

Le cercle de l'horoscope (360°) comprend douze sections: les Maisons. Le point de l'écliptique situé à l'horizon (l'ascendant) marque le début (la cuspide) de la Maison un; les autres Maisons suivent à partir de ce point. La Maison deux correspond au signe du Taureau, la Maison trois aux Gémeaux, et ainsi de suite. En termes astronomiques, les Maisons représentent les douze divisions du cycle diurne (quotidien) sur l'écliptique.

Chapitre 2

Vivien Leigh: 5 nov. 1913, Darjeeling, Inde, 17 h 16 (heure locale). 88°29' E. 26°58' N.
Source: Lois Rodden, *Profiles of Women*.

Lord Olivier: 22 mai 1907, Dorking, Angleterre, 5 h 00 (heure de Greenwich). 0°20' O. 51°14' N.
source: Lois Rodden, *American Book of Charts*.

Adolf Hitler: 20 avril 1889, Brannau, Autriche, 18 h 30 (heure locale). 13°03' E. 48°16' N.
Source: acte de naissance.

Eva Braun: 6 février 1913, Munich, Allemagne, 0 h 30 (heure locale). 11°33' E. 48°09' N.
Source: Lois Rodden, *Profiles of Women*, acte de naissance. On avance également pour sa naissance la date suivante: 7 fév. 1912, à 2 h 25. Ces renseignements seraient tirés des mémoires d'un médecin (source probablement peu fiable): Glenn Infield, *Eva and Adolf*. Le thème qui est tiré de ces derniers renseignements est beaucoup moins significatif quant aux affinités avec Hitler et les liens issus des progressions et transits.

Chapitre 4

La princesse
Margaret:

21 août 1930, Glamis, Écosse, 21 h 22
(heure normale de la Grande-Bretagne).
3°01' W. 56°37' N.
Source: Le palais de Buckingham.

Chapitre 5

Clark Gable:

12 fév. 1901, Cadiz, Ohio, 5 h 30 (heure
normale de la Côte). 81°00' O.
40°16' N.
Source: Lois Rodden, *The American
Book of Charts.*

Carole Lombard:

6 oct. 1908, Fort Wayne, Indiana, 3 h 30
(heure normale de la Côte). 85°09' O.
41°04' N.
Source: Lois Rodden, *Profiles of
Women.*

Humphrey Bogart

23 janvier 1899, New York, N.Y.,
13 h 40 (heure normale de l'Est).
73°57' O. 40°45' N.
Source: Lois Rodden, *The American
Book of Charts.*

Lauren Bacall:

16 sept. 1924, New York, N.Y., 3 h 00
(heure avancée de l'Est). 73°57' O.
40°45' N.
Source: Lois Rodden, *Profiles of
Women.*

Le vertex:

Calcul du vertex: Soustraire de 90° la
latitude de naissance (ce qui donne la
colatitude). En consultant une table des
Maisons pour la nouvelle latitude,
trouver le MC correspondant au FC du
thème de naissance et déterminer
l'ascendant trouvé constitue le vertex.

Chapitre 6

Le prince
Charles:

14 nov. 1948, Londres, 21 h 14 (heure de Greenwich). 0°08' O. 51°32' N.
Source: Le palais de Buckingham.

La princesse
Diana:

1er juillet 1961, Sandringham, Angleterre, 19 h 45 (heure normale de la Grande-Bretagne). 0°30' E. 52°50' N.
Source: Le palais de Buckingham. On avait d'abord affirmé que l'heure de naissance de la princesse de Galles était: 14 h, mais on s'est aperçu plus tard que cette heure était erronée.

Le thème du mariage
du prince et de la
princesse de Galles:

29 juillet 1981, Londres, 11 h 00 (heure normale de Grande-Bretagne). 0°08' O. 51°32' N.

Trois thèmes principaux existent pour la Grande-Bretagne:

1. *Le sacre de William Ier:*
   25 déc. 1066, 12 h, Westminster

⊙9° ♑55'; ☽29° ♓08'; ☿ 16° ♑39'; ♀ 29° ♑53';
♂8° ♒28'; ♃ 7° ♍57' ℞; ♄ 16° ♍50' ℞; ♅ 28° ♐ 27';
♆22° ♉12' ℞; ♇3° ♓52'; ☊19° ♍16' ℞; M.C. 8° ♑42';
Asc. 22° ♈.17'.

2. *L'union de l'Angleterre et de l'Écosse:*
   1er mai 1707, 0 h, Londres

⊙20° ♉29'; ☽28° ♍10'; ☿ 11° ♉04' ℞; ♀ 6° ♈49';
♂20° ♒01'; ♃ 21° ♌51'; ♄ 5° ♊06'; ♅ 9° ♌24';
♆22° ♈06'; ♇23° ♌00'; M.C. 21° ♏; Asc. 16° ♑.

3. *La Loi d'union de la Grande-Bretagne avec l'Irlande:*
   1er janvier 1801, 0 h, Greenwich.

⊙10° ♑11'; ☽19° ♋29'; ☿ 17° ♐36'; ♀ 16° ♒32';
♂11° ♉47'; ♃ 1° ♌58' ℞; ♄ 23° ♌17' ℞; ♅ 2° ♎16' ℞;
♆18° ♏43'; ♇5° ♓00'; M.C. 9° ♋'; Asc. 7° ♎10'.

Lectures recommandées

Pour débutants

André Barbault, *Petit Manuel d'astrologie*, le Seuil, 1972.

Sheila Geddes, *The Art of Astrology*, Aquarian Press, 1980.

Alan Oken, *The Horoscope, The Road and its Travellers*, Bantam, 1974.

Derek et Julian Parker, *L'Art de l'astrologue*, Robert Laffont, Paris, 1971.

Frances Sakoian et Louis Acker, *The Astrologer's Handbook*, Peter Davies, 1973.

Ouvrages généraux

Stephen Arroyo, *Astrology, Psychology and the Four Elements*, CRCS Publications (1975).

Stephen Arroyo, *Astrology, Karma and Transformation*, CRCS Publications (1978).

Liz Greene, *Saturn*, Samuel Weiser (1976).

Karen Hamaker-Zondag, *L'Horoscope et l'énergie psychique*, le Jour, Montréal, 1983.

Robert Hand, *Horoscope Symbols*, Para Research (1981).

Huguette Hirsig, *Traité d'astrologie*, le Jour, Montréal, 1985.

Wolfgang Reinicke, *L'Astrologie pratique*, le Jour, Montréal, 1983.

Sur la synastrie

Liz Greene, *Relating*, Coventure (1977).

Lois Haines Sargent, *How to Handle Your Human Relations*, A.F.A., 1958.

Robert Hand, *Planets in Composite*, Para Research 1975.

Barbara Justason, *L'Astrologie et la sexualité*, le Jour, Montréal, 1984.

Ouvrages de référence:

Geoffrey Dean, *Recent Advances in Natal Astrology*, The Astrological Association, 1977.

John Filbey, *Faire sa carte du ciel*, le Jour, Montréal, 1985.

Table des matières

Lithographié au Canada
sur les presses de
Métropole Litho Inc.

Ouvrages parus chez

 **le jour, éditeur**

COLLECTION BEST-SELLERS

* Comment aimer vivre seul, Lynn Shahan
* Comment faire l'amour à une femme, Michael Morgenstern
* Comment faire l'amour à un homme, Alexandra Penney

* Grand livre des horoscopes chinois, Le, Theodora Lau
Maîtriser la douleur, Meg Bogin
Personne n'est parfait, Dr H. Weisinger, N.M. Lobsenz

COLLECTION ACTUALISATION

* Agressivité créatrice, L', Dr G.R. Bach, Dr H. Goldberg
* Aider les jeunes à choisir, Dr S.B. Simon, S. Wendkos Olds
Au centre de soi, Dr Eugene T. Gendlin
Clefs de la confiance, Les, Dr Jack Gibb
* Enseignants efficaces, Dr Thomas Gordon
États d'esprit, Dr William Glasser

* Être homme, Dr Herb Goldberg
* Jouer le tout pour le tout, Carl Frederick
* Mangez ce qui vous chante, Dr L. Pearson, Dr L. Dangott, K. Saekel
* Parents efficaces, Dr Thomas Gordon
* Partenaires, Dr G.R. Bach, R.M. Deutsch
Secrets de la communication, Les, R. Bandler, J. Grinder

COLLECTION VIVRE

* Auto-hypnose, L', Leslie M. LeCron
Chemin infaillible du succès, Le, W. Clement Stone
* Comment dominer et influencer les autres, H.W. Gabriel
Contrôle de soi par la relaxation, Le, Claude Marcotte
Découvrez l'inconscient par la parapsychologie, Milan Ryzl
Espaces intérieurs, Les, Dr Howard Eisenberg

Être efficace, Marc Hanot
Fabriquer sa chance, Bernard Gittelson
Harmonie, une poursuite du succès, L', Raymond Vincent
* Miracle de votre esprit, Le, Dr Joseph Murphy
* Négocier, entre vaincre et convaincre, Dr Tessa Albert Warschaw